新修

自ら救う力

魂の思想

大内青巒 著
井上林太郎 編

東洋書院

序言

茫漠《ぼうばく》たる覆載《ふくさい》に分秒を刻々と刻みて冥漠《めいばく》のかなたに推移する人生の、一呼吸の束の間に感得《かんとく》する刺激を、五官の鋭俊《えいしゅん》に浮動せしめて、戚々焉《えん》としてなお貪り足らざるがごときは現代生活の弱点にあらずや。

穹天朗《きゅうてんろう》として蒼々、海浄碧《じょうへき》として湛然《たんぜん》、よしんば時に密雲鎖《くさり》し、激浪《げきろう》狂うありといえどもその本然の性牢乎《ろうこ》として蒼々たり。また湛然たり。

吾人生をこの土にたくす、紛然たる情意の纏縛《てんばく》を脱却し去って、真個の我を把《は》住せば、直下に柳緑花紅《やなぎはみどりはなはくれない》の絶対妙楽《みょうがく》地を現ぜん。これ至難の難にして しかも易行の易たり。即今万象生気を莫《(爆)》発するに際し、さらに一段の工夫ありや。

あえて拙著『自ら救うの力』の序言とするものなり。

1917年陽春四月

大内青巒 記

自ら救う力　目次

凡例

一　底本に大内青巒著『自ら救ふ力』（大正六年、中央出版社）を用いた。

二　底本の表記を、原則として常用漢字・現代仮名づかいに改めた。文語・古語の語尾活用を文脈に応じて現代口語体に改めたほか、ふり仮名・引用符・改行箇所など表記全般を適宜、現代の標準的なルールに準じて修正し、読みやすくした。

三　底本の誤字・誤記や、文章の係り受け・句読点の乱れを正した。底本テキストに対する補足・注釈は亀甲カッコ〔　〕内に記した。

四　底本の表現で、今日からみれば不適切な用語・言い回しがあるが、時代背景を考えそのまとした。

２０２０年10月　　井上　林太郎

自ら救う力

不可思議なる吾人の心

古語に、

天は計るべく地は計るべし、ただ計るべからざるは人の心なり。

とあるが、これ、朝に忠臣であった者も夕には逆臣というふうに、人の心――人格――精神の転変極まりのないありさまを言ったものであると思う。なるほど天は計るべしで、今日のごとく学術の進歩せる時代にあっては、望遠鏡であるとか天文台であるとかいう諸機械によって広遠なる天をも計り得られ、地もまたいかに微細なものに至っても顕微鏡をもって計ることを得るのである。しかしながら、今日においてなおかつ依然として計り得ざるものは人の心である。天地の過去および将来、宇宙万象の活動に至るまで、いちいち学術の力をもって説明し得るに至ったのも、要するに不可解の間にある人心の奇しき作用である。

さらに、いかなる事物といえども天地間に存在する一切のものは始終変遷してやまない。しかしこれを探究し、さらにこれを支配する人心の機微は、われわれ人間ながら実に驚かざるを得ないのである。

さて、この妙不可思議なる心の性質いかん〈心の性質とはどのようなものか〉と言うに、消極的に説明すれば「絶対無限」であり、積極的に説明すれば「円満」である。前者は時間的空間的にも無限なので、われわれの力で想像や形容のできぬ不思議をすなわち絶対無限というのである。後者は、われわれの心というものは決して窪《くぼ》み凹《へこ》みのない何一つ足らぬことのないことである。しかもわれわれの心には一切の原素を具有《そな》えているものであるから、因縁さえあればどんなものにでもなるのである。

この因縁ということは、静かに考えてみるに大変おもしろいことであって、雲晴るるとは晴るるの因縁である。修行が進むには進むの因縁がなければならぬ。この因縁を無視しては、いかなることも成就するものではない。何事も因縁時節が大切である。しかしこの時節因縁は、濡れ手で粟をつかみとり、寝ていて棚からぼた餅が落ちてくるようなものではない。禅録には「因地《いんじ》の一声」とか、あるいは「忽然大悟《こつねんたいご》」〈突然悟りをひらくこと〉とかいう文字の使ってあるが、決して平常においていささかも工夫鍛練せぬ者が、かような痛快なる境界《きょうがい》〈各人の置かれた状況。

境涯〕に至り得るものではない。

東坡居士の讃仏偈

仏説には、

人間の身を受ける者は爪上《そうじょう》の土〔きわめて少ないことのたとえ〕のごとく、畜生などに生まれる者は天地の土よりも多し。

と仰せられ、また、

天下に五難あり。貧窮にして布施すること難し、豪家にして道を学ぶこと難し、命《めい》を制して死せざること難し、仏経を観ること難し、生まれて御世《みよ》に値うこと難し。

とあるがごとく、人身は森羅万象中の最上最勝の者である。力は猛獣に劣るといえども、よくこれを獲える術を知っている。山堅しといえども、よくこれ貫き、海深しといえども、よくこれを渡る。仏法は釈尊や仏徒の専用物ではない。宇宙の真理、千古不磨〔遠いむかしから変わらないこと、いつまでもなくならないこと〕の聖教である。日は朝々東より出《い》でて、月は夜々西に沈む。柳にあっては緑、花にありては紅、本地の風光誰あって蔵《かく》す者はないのである。しかるに受け難き人身を等閑《なおざり》にして、見聞覚知不曽蔵《けんもんかくちふそうぞう》（見聞覚知は見る・聞く・覚る（鼻識・舌識・身識）・知るという六識のはたらきで、禅ではこれらを仏道へ向かわせる。不曽蔵は隠しごとがない、あるがまま存在しているの意）の仏法に自ら背くから、これがわれら凡夫の実情で煩悩の雲が覆いかかるのである。

昔時、東坡居士蘇子瞻《とうばこじそしせん》（蘇軾《そしょく》）とて学術文章において聞こえた儒者があった。この人は早くから仏法にも深く帰依して、悟道の印可《いんか》（弟子が悟りを開いたことなどを師が認可すること）さえ受けておったのであるが、先妣《せんぴ》（亡き母）の孝養にと言って、そのころ高名の絵師を頼んで精美を尽くした仏の尊像を描かしめ、自らその上に偈文《げもん》（仏教の真理を述べた語句・文章）を書いて仏徳を讃歎せられた。すなわちその偈文は、

仏は大円覚をもって河沙界に充満し、われは転倒想をもって生死中に沈没す、如何が一念をもって浄土に往生することを得ん。われ無始の業を造る本《もと》一念より生ず、すでに一念より生ず、また一念より滅す。生滅《しょうめつ》の滅《めっ》し尽くるところ、われ仏と同じ、水を海中に投ずるがごとく、風中に橐《たく》を鼓するがごとし。大聖智ありといえども、また分別すること能《あた》わず。

これを講釈すれば、まずはじめに仏というのは、印度の語に仏陀耶というのを漢訳して覚者と

言い、和語では「さとれるひと」という意である。この覚《かく》には三つの差別《しゃべつ》〔区別〕がある。すなわち自覚、自らの覚《さと》るのと、他覚、他を覚らしめるのと、覚の行《ぎょう》の円満する〔覚りに至る修行を完成させる〕こととである。

この三覚の備わったのを大円覚《だいえんがく》と言って、大とは無限の広きを意味し、円とは前述の円〔前節「不可思議なる吾人の心」で述べた「円満」〕と同じく具備欠け目のないことを言う。備わって欠け目なく、また無限広大の覚であるから、河沙河界《かしゃがかい》に充満すると言ったのである。河沙界は数量の形容で、印度で名高い恒河《こうが》〔ガンジス河〕という河の数え尽くされそうもない沙《すな》のごとく数限りない世界という意で、乾坤 日月 星辰、草木 国土 障壁 瓦礫 河海 山川 禽獣に至るまで仏の覚りは充満して行きわたらざるはない〔行きわたらないところはない〕との意である。

絶対無限の世界

およそ仏教で世界ということは、太陽系といって一つの太陽に付帯したわれわれの棲息しているこの地球のようなものを幾つも集めたものを一須弥界《しゅみかい》と言い、その須弥界を千集めたのを小千世界と名づける。かくしてまた千ずつ集めて中千世界——大千世界となり、これを三千大千世界と言って一仏の化土《けど》〈仏が衆生を教化するために仮に現した国土〉と定めるのである。かの阿弥陀様の在す極楽世界は、わがこの娑婆世界の西方十万億土というのは、かくのごとき三千大千世界を一万億隔てているとの意である〈阿弥陀のいる極楽世界がこの娑婆世界の西方十万億土の彼方にあるというのは、このような三千大千世界を一万億（十万億）並べたところにある、との意である〉。その広大無辺、思いやるべしである。

つまりこれはこの空間の無限であることを知らさんとしての仏説であるから、時間の方でもこれと同じく、『法華経』に五百塵点劫《じんでんごう》〈計りきれないほどの長い時間のたとえ〉と言うことは、三千大千世界を五百千万億那由他阿僧祇《なゆたあそうぎ》〈那由他・阿僧祇いずれも数の単位、十の数十乗〉集めてそれを細末にして微塵とし、東方に向かってさらに五百千万億那由他阿僧祇の三千大千世界を往き過ぎて、その微塵を一粒置き、また五百千万那由他阿僧祇の三千大千世界を過ぎて一粒置き、かくしてその微塵を置き尽くした後、またさらにその微塵を一粒ずつ置いた世界と、またその間に通り過ぎたところの限り知られぬ五百千万億那由他阿僧祇の世界とを皆一つに集めてまたこれを微塵となし、その微塵一粒を一劫経たるを数取りとなして、その微塵を尽くしたるよりも多い時間を経たというのが、仏の命の今までに重ねてきた劫数《ごう》であると言うのである。

ここに言う劫とは、印度の劫波を略したもので、長き時間の意である。そしてそれがいかほど長いかと言うに、ここに四十里四方の大きな国がある。その中に芥子粒を満たしてそれを千年ごとに一粒ずつを取り除き、四十里四方に撒いたところの芥子を皆取り除き尽くしたるほどの長時間を一劫と言うのである。

しかるに〔ところで〕今、仏の命はその劫数五百塵点を経たのであるから、ただ時間の限りないばかりでなく空間にも限りのないことを示し給《たま》うた〔お示しになった〕のである。それを東坡《とうば》居士《こじ》は河沙《かしゃ》界に充満すと言ったので、仏の光明の十方世界に無限なると同時に、仏の命の三世にわたって無限であることを顕したものである。

しかるに〔ところが〕われわれお互い一切の衆生は、かかる〔こういう〕仏陀のあることも知らないで、転倒想をもって生死海《しょうじかい》の真っただ中に沈没している。転倒想とはさかさまのおもいで、心の作用である。すなわちわれわれは眼で色を見、耳で声を聞き、鼻で香をかぎ、舌で味わい、身で触れるというように、すべて物事に対する時は、心に叶えばこれを貪り、心に逆らえば怒りののしる。しかして〔そうして〕瞋恚《しんい》〔憎悪の感情〕のはなはだしい時は眼もくらみ耳も役にたたぬ。ここに至ってすなわち心の作用の転倒というので、これを名づけて迷いとも惑いとも煩悩とも妄想とも言うのである。

われら衆生の限りなき時間とともに、かような〔このような〕転倒妄想に陥って限りなき世界の中に生まれかわり死にかわり、たまたま人身を得るとても五尺の形骸をのみわれと思い、五十年の寿命のみを頼りとし、苦しまないでもよいことに苦しみ、楽しむべからざるを楽しみ、無常の風に誘われて浅ましくも五道〔人が善悪の因によって行く五つの世界〕に輪廻しているのである。しかるに仏の教えによれば、わずか一念の心で五尺の身ながら大円覚の仏身となり、五十年の命ながらも無量寿〔限りない命〕の仏齢を得られるという。はたしてしからば、いかにすれば左様な〔そのような〕大果報を得られるかということを、

いかが一念をもって浄土に往生することを得ん。

と言われたのである。

万物は心の一念より生ず

元来仏教で土《ど》というのは、ただ身の置きどころのみを言うのではない。すなわち心の置きどころ、作業の地位などと世のいわゆる立脚地という程にて、吾人《ごじん》〔われわれ〕凡夫〔仏教の教えを

理解していない人〕の地位、さては心の置きどころ皆ことごとく煩悩 妄想 無明の塵垢ふかく積もって穢《けが》らわしさ言語を絶しているのであるから、これを名づけて穢土《えど》と言うのである。しかるに仏の心は三身四智十力四無畏その作業《さごう》〔おこない〕浄《きよ》らかで諸々の功徳円満しているのであるから、その在《ま》しますところをば浄土と申すのである。

ゆえに仏も浄土も初めからその種類の異なったものではない。天然の釈迦もなければ自然の弥陀もない。みな修因感果〔因となる行を修めてそれに応じた果を得ること〕の法則に従って十界の依正《えしょう》〔前世の業によって受けとる環境と自分自身〕現前するものであるから、われら衆生は生々世々《しょうじょうぜぜ》生死の苦海に沈淪すといえども、一念心に翻るところあれば、この凡夫の四肢五官さながら三身四智なるべく、造次顛沛《ぞうじてんぱい》そのままが十力四無畏である。

それはまたどういうわけかと尋ねるに、「われ無始の業を造る本《もと》、一念より生ず」と言って、生まれかわり死にかわり五道に輪廻し来たったところの業は無始の業である。無始とは限りない昔よりの意、業は生々世々の間において口に言い、意に現れたところのすべての業で、善業あれば善因となって善果を結び、悪業あれば悪因となって悪果をもたらす。しかしてその業はまたいかにして起こったかというに、無始の無明の迷いの一念、かの晴れわたった大空に煙草の煙ほどの浮雲がだんだん見る間に増長蔓延して八万四千の迷いの黒雲、真如《しんにょ》〔あるがままにあること〕の月を覆いかくして、冥より暗というように、悪業をかさね悪果をうけ、生死海に流転来たれるものであるから「本、一念より生ず」と言われたのである。

さて、またすでに一念より生ずると知ったならば、一念より滅するということも疑う余地はないのである。しからば果たしていかなる一念がよく、この無始の業因を滅し尽くすことができようか。

天台宗では一念三千の観行と言って、宇宙の現象ことごとくわれらの平生の一念を離れずと説き、真言宗では一念三千の観法、禅宗では無念の念、豁然大悟《かつぜんたいご》〔疑いや迷いが晴れて真理を悟ること〕の一念に生死の山を一棒に打砕して煩悩海を一喝に喝尽《かつじん》するところの活機があり、浄土門では弥陀の本願を信ずるの一念、あるいはご名号を唱うる一念発起入正定聚《にゅうしょうじょうじゅ》、この身このまま、またと再びそれに戻らぬ不退の位に入るという。

その他各宗各派その説くところは機応時随異同はあるけれども、等しく一念がひるがえって同時に無常の風は吹き止み、生死起滅の物事みな消え失せる。その状態を「生滅《しょうめつ》の滅《めっ》し尽くるところ、われ仏と同じ」と言ったのである。すなわち今一念の心の落ち着き、昨日にかわってすでに仏陀の光明に照らされるのであるから、黒雲は晴れて煌々一輪の明月わが眼にうつり来たるがごとく、同時にこの時、天上の明月とわが眼光とは別でもなくまた同じとも言えない。

月かわれ　われも月かの　わかぬまで
心をそらに　澄める秋の夜

というような境涯である。今更にわれらの仏と同じきありさまは、それにも勝って、

水を海中に投ずるがごとく、風中に槖《たく》を鼓するがごとし。

と言うのであって、この五尺の身が五十年の命に執着して差別《しゃべつ》の妄想に苦楽転倒するさまは、器に汲んだ濁水のごときであるが、いま大海の中に投げ入るれば、清濁ともに差別の相《すがた》を見ない。ことごとく一鹹味《かんみ》の潮〔塩からい潮〕となるがごとくに。また槖というは〔また「槖を鼓するがごとし」という一文については〕、限りもない虚空の間に颯々《さっさつ》と吹き立てる風の中で、さらに微細の限りある吹子《ふいご》の風――鞴《ふいご》の火などをおこす風――があおぐ時、吹子の風と空ふく風とは同か不同か、これはたとえいかなる大聖智があったとて分別はできないのである。

人々これ天上天下唯我独尊

われら凡夫がこの身このまま仏と同じく河沙《かしゃ》界に充満して三千世界をわが家となし、人生七十古来稀《まれ》なりなどと託《かこ》ちたる露命〔露のようにはかない命〕はさながら五百塵点劫《じんでんごう》を経たところの仏の無量寿〔苦悩する人びとを慈しみ続ける永遠の命〕と少しも変わらぬ寿命を得る、そして未来永劫死ぬるとも生まるるということもなき安穏快楽の身となることは、ただ不可思議と仰ぐのほかはない。これまた前述の不可思議のわれわれの心次第で仏とも凡夫ともなられるので、心はこの分岐点である。かく〔このように〕見、かく観じ来たったならば、われわれお互いは互いに人身の最尊最貴なることを会得して、おおいに大勇猛心を起こして煩悩の雲を晴らすことを心がけねばならぬ。

されば〔そんなわけで〕仏性は人々具足個々円成《えんじょう》〔仏になれる性質は一人ひとりがもっているので、円満に仏の心を成就し〕、天上天下唯我独尊《てんじょうてんげゆいがどくそん》である〔「天上天下〜」は釈迦が誕生のとき唱えたとされる言葉。その意は「世界で自分より尊い存在はない」が通説〕。ゆえに釈尊の説法も、達磨《だるま》の西来《せいらい》〔西からの来訪〕と歴代祖師の擲拳棒喝《てきけんぼうかつ》〔弟子を導くときの大声での叱咤、棒での打擲〕も、要はその当体に自得せしめ〔その本心に自力で悟らせ〕、相見《しょうけん》〔対面〕すべき時節因縁〔その時期が来たから出来事が起きるという縁〕を結ばしめようとの大慈大悲にほかならぬのである。

されぱと言って、門より入るものは家珍〔本物の宝〕にあらず、他動的では本物ではない、自発的でなければならぬ。ここに自ら救うの力があるのである。塗り物は剥げやすい、生地から磨かねば真の光沢ではない。かくのごとく仏法の修行は他動的では行かぬのであるが、ただ自動的にやれと言ったところでまた私心をもって得ることはできぬ。非思量の端的〔坐禅の要となる無分別の境地、およびそこで悟る本質・真実〕、自他を根絶するの境界《きょうがい》に至らねばならぬ。ゆえに『学道用心集』には、

仏法は有心をもって得べからず、無心をもって得べからず。

と示されてある。有無の両端に彷徨っている間は、いわゆる私心の妄想である。有が悪い、無が善いと言ったとて煩悩の肩代え〔一方の肩から他方の肩へ担ぎかえること〕であって、火を嫌って水へ投ずるようなものである。

徹底せる世渡り

富貴に集う狂奔の群集

現今におけるわが国民一般の精神的傾向を見るに、どうも真面目ということを欠いているようである。小人的根性を発揮して、小刀細工をもって世を渡ろうとし、とかく勇猛精進の真摯なる努力をなさずして、しかも働きは少なくして多くの報酬を得んとし、酒色を貪り、身には錦繍をまとい、金殿玉楼に座臥して栄華を夢み、浄財も淫楽に浪費して、わずかに心の端なる欲望の満足を得、もって人としての能事〔なすべきこと〕としている。その理想に至るためには、いかなる手段をもってしてもこれを得んとして狂気のごとくに走って、人道を踏みにじり、公徳を顧みず、ただ望むところは富と貴ばかりである。孔子がこれを戒めていわく、

富と貴とはこれ人の欲するところなり、その道をもってせずしてこれを得れば処《お》らず。貧と賤とはこれ人の憎むところなり、その道をもってせずしてこれを得れば去らず。君子、仁を去っていずくんぞ名を成さん。君子は食を終わるの間も仁に違うことなし、造次《ぞうじ》にも必ずこ

こにおいてし、顛沛《てんぱい》にも必ずここにおいてす。

いかなる金銀財産も玉楼もその道〔正しい道〕をもって得たのでなければ、心に満足ということはできない。ただ道の上の往来であったならば〔正しい道を往来しているのならば〕、いかに弊衣破鞋《へいいはあい》〔ぼろぼろの服と破れた履き物〕であっても平然として恥じないという大信念がなければならぬ。ここがすなわち人生修養上における向上の一路ともいうべき、真面目なる脚歩である。この脚歩を間違うがために、すべての悪徳、悪行為がこれから生じてくるのである。

要するに世は遷流して常住なるものはない。人間が常に求めんとしているところの富貴とか名利《みょうり》〔名誉と利益〕というものは、浮雲のごとく儚いものである、夢幻のごとく頼りないものである。かくのごとき富貴や名利をもって人生究竟の目的としておるならば、たとえいかほどの名誉を得、地位を得、富を山と積んでも、精神的においては空虚である。道徳上から見れば少しも価値のないものである。

これをもってわれわれは名利以外に至大なる志を立て永遠を貫く大目的に向かって努力しなければならない。およそ道は永劫に不変易なものである。その道を楽しむということは、常恒不断の楽しみである。また道には極まり尽きるということがない。ゆえに道に富むところの富は永久の富であることを知らなければならぬ。

されば道の道たるを知って真面目なる修養をするは発足点であって、道を好む者は中位であって、道によって楽しむのは最上の位である。たとえ緊那迦陵《きんなかりょう》〔緊那羅は音楽の神、迦陵頻伽は想像上の鳥で、ともに声が美しい〕賛嘆の音声を聞いても夕べの風が耳を払ったがごとく、毛嗇《もうしょう》西施《せいし》〔毛嗇・西施いずれも伝説上の女性〕のごとき美妙なる容顔を見ても朝の露が眼に遮るがごとく、心はこれらの境のために奪わるることなく、超然として束縛を離れ、真に自己の本心本性に立ち帰る。悠々自適、少しも精神に苦痛のない常に安楽な心を持つことができたならば、はじめてこの身このままをもって世の中を楽しく渡ることができるのである。

進むべき天下の達道

われわれの胸中に少しの偽りもなく、私情もなかったならば、そこにおいて天地の大道に随順し、大徳に合致することができるのである。現代のごとき廉恥心の麻痺した、安逸を貪り僥倖をのみ求めようとする不真面目なる忌まわしき思潮に反抗して、自彊不息《じきょうふそく》〔努力して怠らない〕、不退不転たる大自覚に到達するには、道をもって生命よりも重しとなし、珍宝よりも貴しとするの大覚悟をもって出発しなければならぬ。

しかしてこの道とは人が人として踏むべき道であって、これが人道である。すなわち天地自然の誠《まこと》に叶い、自然のままに公正なる行動を取るというのにほかならないのである。しかし人には迷いの情があって、自然のままに見る真如《しんにょ》も雲に閉ざされて邪なる道に進むようになるのである。そこでこの迷いの雲を打ち払って本具〔本来具えていること〕の仏性を体現して行為となるときは、自ら正義人道を履践し、かの国際法規のごとき人為的の律文の有無にかかわらず円満なる交際をなすことを得るのである。

『中庸』に、この道を天下の達道と言ってある。すなわち上は天子より下は庶民に至るまで、誰も彼もそうなければならぬ道であるからである。その上下貴賤一般に通達するところの道が五つある、その五つというは何であるか。

君臣ノ道、父子ノ道、夫婦ノ道、兄弟ノ道、朋友ノ交也

すなわちご勅語〔明治天皇が発した教育勅語〕にも、第一段のところにおいて、君徳を挙げ、臣道をお示しになって、君臣の大義を仰せ下されてある。さらに大二段の初めにおいては、

父母ニ孝ニ　兄弟ニ友ニ　夫婦相合シ　朋友相信ジ……

すなわち合わせて五倫をお示しになっている。その五倫の出所を求めたならば他にもあるならんが、『中庸』にある子思《しし》の文に明らかである。

天下之達道五、所ニ以行一レ之者三

と五つを挙げてある。さてこれを行うゆえん〔来歴・根拠〕のものは何であるか。

智仁勇三者、天下之達徳也

この智仁勇という三徳をもって、前の天下の達道〔普遍的な道徳〕を行っていくのである。この三徳は上下貴賤、誰でもみな守り保たなければならぬのである。この達道たる君臣 父子 夫婦 兄弟 朋友の五つ、智仁勇の三徳を行っていくという。そのゆえんのものは唯一あるのみ。その一は何であるか、すなわち誠の道、もってこれを貫くということは、『中庸』のこの前後を考えれば明らかなることである。

誠が一つあってこそ、はじめて智仁勇も智仁勇らしい徳が現れるのである。その智仁勇の三徳が現れてこそ、はじめて達道たる君臣 父子 夫婦 兄弟 朋友の道も明らかに分かるのである。かくのごとく孔子は教えられてある。これは儒教の方より見たところの道で、極めて手近く倫理的に言ったのである。

これを仏教の教えの方から言うと『六方礼経《ろっぽうらいきょう》』にお示しになってある。すなわち六方とは東西、南北、天地の六方、その六方を礼拝することである。しからば天地四方を何のために礼拝するのであるか。

孔子の教えにあるところの五倫、いわゆる君子 父子 夫婦 兄弟 朋友の五つ、その上になお一つ師弟という一倫を加えてある。この子弟師匠という関係は、君子 父子 夫婦 兄弟 朋友の関係に勝るとも劣るところがないのである。しかるに他の教えにおいては師弟の一倫が欠けている。極端に言えば疎かになっている。しかるに釈尊の教えには師弟の一倫を加えて六倫を説かれてある。その六倫に対してわれわれが誠を尽くす。それを形式に表したのが六方の礼拝ということで、それが一巻の経文となっているのである。

しかして更に一歩を進めて、高遠なる意味において、斯道《しどう》〔この道・人の人たる道〕ということを見ていけば、かの老子である。かれ〔かの人〕老子は『道徳経』を書いた。孔子は口を開けば仁の道を説き、孟子は口を開けば仁義を説いて、仁とか仁義ということを主に説いてあるのであるが、老子は常に道徳ということを先に立てている。

霊妙不測の根源

道徳の方面より論じたる点においては、孔子の教えよりは老子の教えの方が専門である。かつその教えるところは余程人道を超えて天地の真理を言い表しているように思われる。老子は道という字をどういうふうに解釈しているかと言うに、

有レ物混成、先二天地一生、寂兮寥兮、独立而不レ改、
周行而不レ殆、可三以為二天下母一、吾不レ知二其名一、字レ之曰レ道。

これが老子の道という字の解釈である。有物先天地。いまだ形が現れない以前において、これを道と名づけるのである。すでにして形が現れてくれば、すなわち対待《たいたい》〔相対的であること〕となって物が二つに現れるのである。

かの易の方においては、天地 陰陽 剛柔あるいは内外 表裏 明暗というようにすべて二つ物が対している、いわゆる相対的の教えである。もっとも『中庸』のごときになれば、その極点に至ってはこれを天に帰する。その天というものはいかなるものであるか。ここに至れば形を超越したところであるが、孔子の教えは常に二つ物を見た上からして、その二つの物が反対の働きをする、その中間に処していくのである。絶対に関する話は孔子においてはあまり話しておらぬ。お

弟子が、性と天道とは得て聞くべからずと言っているのを見ても、性とか天道とかいう講釈はしておらぬことを知ることができるのである。

しかるに老子はいまだ物が形に現れない以前における幽玄の道を探った。天地に先だって生ずというその物とは何であるか。

「寂たり、寥たり」サビシイというのは形のいまだ現れざる様子を形容したものである。

「独立して改めず」独立というのはいわゆる対待を絶したという意味で、形がいまだ現れないのであるから、変わるということはない。すなわち改まらない。

「周行して殆《あや》うからず」周《あまね》く行う、この天地のいまだ現れざるところのものは、寂々寥々たるものであるから、周く至る所にその徳が行われざるところはないのである。殆うからずして誠に安心である。

「もって天下の母たるべし」世の中のすべての物はみな天地によって生まれるから、天地万物の母となるゆえんである。

「われ、その名を知らず」何と言うものであるか、老子自らも名の付けようを知らぬ。その実は名はないのである。名の名とすべきは誠の名でないというのが一体に老子の流儀である。名は知らない、けれども名を知らぬでは今話しようがないから、「これを字《あざな》して道という」しばらく〔とりあえず〕道と名づける。

この道というのは、親子とか夫婦とかの関係について言うところの倫理上で言う道ではない。いまだ天地の現れざる以前のところにおいて道というものがある。かくのごとく老子は道という字を説いて、幽玄なるものとなして解釈している。

天真独露の面目

『中庸』の上でもこの点を説かないでもないが、余程その趣を異にしている。かの『中庸』は儒教の経書の中でももっとも高尚なものである。

唐の柳宗元《りゅうそうげん》は韓退之《かんたいし》が常に仏法を誹《そし》るのを聞いて、仏法というものは、かくのごとくに誹るべきものではない、『易〔易経〕』や『中庸』とその旨を同じくしたものであると言っている。『論語』のごときものであると、いわゆる君臣 父子 夫婦 兄弟 朋友という倫常〔常に守るべき人倫の道〕だけの上についての教えを主として説いたのであるが、『中庸』になると、絶対界の話が数に出てくるのである。絶対の説においては仏教と同じような意味のところが見受けられる。

いま『中庸』の言葉の上で道という字を考えてみると、

誠者天之道也、誠之者人之道也。

前述のごとく、これを行うもの一なり、いわく誠《まこと》。その誠は何であるか。天の道なりで、老子にいわゆる天地に先だって生ずと言うに比較してみると、『中庸』では天というものを認めた後のことであるように思われるが、人というものに対して天と言ったので、いわゆる超人、人間以上の話である。人の道は何である、「これを誠にするは人の道なり」である。誠というのは天の道である。この辺から考えてみれば、孔子の教えにおいても、この道という字が非常な高尚な教えとなっているのである。

わが国においては皇祖皇宗がご遺訓としてご子孫の天皇にこの道をお示しなされてある。ある一流の神道家や仏教の上においては本地垂迹《ほんじすいじゃく》〈仏・菩薩が本来の姿（本地）を変え、衆生を救うために仮の姿でこの世に現れる（垂迹）こと〉の説が立てられている。それによれば日本の神は、仏教のいわゆる法身仏《ほっしんぶつ》〈永遠の真理そのものとしての仏〉の垂迹である。日本の民を済度《さいど》〈悟りの境地に導くこと〉するために日本の聖人と現れて、日本人をお暁《さと》しなされたという意味にて、皇祖大神を人間の雄偉なるお方として見ずして、その点から申してみると、垂迹たる神はその本地たるところの法身仏の徳をお示しなされてあることは言うまでもない。これによって見れば皇祖皇宗のご遺訓がすなわち宇宙万象の本体本源たる法身仏のご遺訓である。

要するに誠の一である。しかしてその誠というのはいかなるものであるかと言うに、同じく『中庸』に、

誠者不レ勉而中、不レ思而得、従容中レ道聖人也。

誠というものは天真爛漫なる人の本心本性から発露したものであって、物事を行うにあたり色々と思量分別して道に背かぬようにするというのではない。自己の心に思ったことを直ちに行って、これが自然に道に適う。ひとたび口に出ずることはそのまま道に適うというのが真実の誠である。ゆえに強いて勉めずして中《あた》るのである。

宇宙万象は実に正直な姿を現している。天が万物を覆う上においては公明正大で少しも偏頗がない。地が万物を載せるのも公平無私であって少しも依怙の沙汰がない。一切万物は天地の誠に養われて生々発育していくのである。その天地の心である正直なる誠をわれわれ人間の上に現すのが道である。

『大集経《だいじっきょう》』に三種の実ということを示されてある。その一は「諸物を誑《たぶら》かさず」これは信仰上に

おける誠である。明治天皇の御製《ぎょせい》〔天皇がつくった和歌・詩文〕に、

目に見えぬ 神に向かいて 愧《は》じざるは
人の心の まことなりけり

とあるは、まさしくご信仰の上のことである。神仏は常に昭々として四海を照らし、冥々にわれわれの心の底までも見そなはせられ給《たま》うている〔ご覧になっている〕。この光明を感じた時に、真の信仰が起こり神仏に交通〔ゆきかよい〕するのである。二には「己身を誑かさず」すなわち自己の良心を昧《くら》まさぬことである。言行において不一致のことがあったり、心には悪しいとは知りながらも外面に飾って真実らしく振る舞うの類は皆、おのれの良心を欺くのである。たとえいかに学問才能があり、金銀財宝があり、高位高官を得ても、一錐自己《てん》を欺くという心念があれば、その人の人格は全く堕落してしまうのである。山ほどの貨幣を積んでも偽金では何にもならぬ。

先帝の御製に、

人はただ 誠の道を 守らなむ
高き賤しき 品はありとも

と仰せられたのは、誠をおのれに体する〔心にとどめて行動する〕ことの貴きご教訓でありま

す。三には「衆生を誑かさず」すなわち他人に対するの誠である。社会に生存する上において大切なるは相互における信用である。誠実を欠き信用を失うときは、大にしては国家の安寧を破り、小にしては一家の平和を乱すに至るのである。

とかく人間世界の悪習として誠の道を昧ましやすいのである。それがために道徳の光輝を容易に発することができない。また人の欺かんとする心はなくても、知らず知らずの間に誠の徳を失う場合もあるから、曽子《そうし》という人は、

われは日に三度わが身を省みる。人のために謀って忠ならざるか、朋友に交わりて信ならざるか、伝えて習わざるか。

とある。また先帝の御製に、

うち向かう たびに心を 磨けとや
　鏡は神の つくりそめけむ

誠の後援者は天明神命である。何事をなすにも最後の勝利は誠によって得られるのである。よってこの誠を体現して、知らず知らずの間に日々の行持《ぎょうじ》〔仏道の修行を怠らずに続けること〕とならなければ、真実とは言われない。

三獣渡河と処世

仏教で阿耨多羅三藐三菩提《あのくたらさんみゃくさんぼだい》と言う。それを支那語に翻訳すると、無上正遍智ということになる。すなわち仏陀ということである。

「無上」とはこの上もない最上の義。しかしこの上もないと言うだけにては、この上もない悪いということもある。この上もない邪魔なものもある。しかるに今は〔しかるに「無上正遍智」は〕、この上もないという語の次に「正」という字がある。ただしこの正しいというものも、ある一部分だけに正しいものもあるが、今はさらに「遍」とある。遍は普遍と続く字で、アマネクと訳す。どこまでも限りない、無上にしてしかも正、かつ遍、その下になお「智」とある。すなわちこの上なく正しく遍きところの智恵、すなわち仏陀である。少なくともこの境界《きょうがい》に至ることを得ば「従容中レ道」、従容《しょうよう》は迫らざる貌《すがた》、「ユックリ」あくせくせずして緩やかにして、その行うところ言うことが道に中《あた》る。この境界をわれわれには理想として日々修行の脚歩を進めて怠らないようにしなければならぬ。

この健実なる脚歩の進む道がすなわち徹底したる向上の道である。

釈尊は『涅槃経〔大般涅槃経《だいはつねはんぎょう》〕』の中に「三獣渡河《さんじゅうとが》」のお喩えをもってご説法をなされた。三獣というのは、兎と馬と象との三獣で、この三つが河を渡るということである。

兎が河の上を跳んでいるところはよく絵にも描いてある通りで、兎が河を渡るには水の上を跳んで渡る。次に馬が河を渡るのには、半分は水の中に身体を入れ、半分は水の上に出して渡る。次に象が河を渡るのには、象は体も大きく鼻も長いとみえて河の底を渡って向こうの岸へ出るということである。そこでこれを人間に当てはめてみると、兎の道的な世渡りというのは、人間が着実でなく、常に浮いた心持ちでいて少しも落ち着きがなく、食いたいから食う、飲みたいから飲む、着たいから着る、遊びたいから遊ぶという流儀で、

「浮草や　きのうは東　きょうは西」

少しも締まりというものがない。嫁入り盛りの娘さんで言えば、当世流行の出もどり主義の女などがすなわちこれである。出もどり勝手主義の女は第一、嫁に行く時の初一歩からして間違っている。

「とにかくお母さんお嫁に行ってきます。そのかわり面白くなかったら、スグ帰るよ。面白かったら、しばらくはね〔しばらくは嫁をつづけるわね〕……」

なんて言っている。こんな考えでは良妻たり、また賢母となって家庭を治めることは到底できない、すぐに離縁になって帰ってくる。その時の言い草がまた非常に脱線している。

「マアお母さん聞いてください、西が曇れば雨となり、東が曇れば風となる。千石積んだ船でさえ、波風荒けりゃ出てもどる。わたしじゃとても〔わたしであっても〕その通り、縁がなけりゃ出てもどる、縁がないから出てきたんですよ」

とやっている。実に軽薄の極みである。これが兎の世渡り式である。このような考えの者に誠《まこと》の道という考えは少しもない。

次に馬の世渡りである。半分は落ち着いているが、半分は浮いた生活をしている。家業の大切なることは勿論であるが道楽もちょっとはやってみたい。勉強は充分にしたいが朝寝はゆっくりしたい。立派なお母さんとも呼ばれたいが時々は嫁の悪口も言ってみたい。

身はここに　心は家の　台所
　　嫁が味噌する　擂鉢の中

と、自分が善と悪と両方に動こうとするのである。

最後に象の世渡りである。ドッシリと落ち着いて、少しも浮いた心がなく、真心をもって正々堂々とこの世を渡らんとする。すなわち徹底せる世渡りである。この徹底せる世渡りは、いかに富が多くあるとも、また位人身を極むる底の〔最高の地位につくような〕貴人といえども、真面目な考えをもってしなかったならば渡ることはできない。これに反し、いかに下賤な者でも着実なる誠をもって行けば彼岸に到着することができるのである。

それはちょうど汽車か電車に乗ったようなものである。一方では楽々と腰を掛かけて世間話に余念のない人があるに反して、一方では腰を掛ける所がなくて立っており、汽車の揺れるたびごとに苦しい思いをしている。これは決して貴賤貧富によって分かれるものではない。それと同様に徹底せる世渡りは、ただ誠の心をもって真面目な道を行くということにあるのである。

古今を照らす心霊の光明

むかし支那に趙《じょう》州《しゅう》禅師という人があった。この人が師匠の南泉《なんせん》和尚という人のところへ行って、

「いかなるか、これ道」

道というはどんなものであるかと問うた。南泉がこれに答えていわく、

「平常心、これ道」

平常の心、すなわち朝な夕なの心がすなわち道であるというのである。孔子のいわゆる不勉而中〔勉めずしてあたり〕、不思而得〔思わずして得〕というのと少しも違いはない。すなわち老子も仏教も『易』も『中庸』も、畢竟《ひっきょう》〔最終的な結論に至ること〕するに同じ味わいのものであるということがこれで明らかである。しかるにある人が後にこの趙州禅師に問うた。

「いかなるか、これ道」

趙州いわく、

「墻外底《しょうがいてい》」

と答えた。道は墻《かき》〔垣根〕の外にある、道は人の歩く所である、墻の外にも塀の外にもある。

しかるにその問うた人は、

「這箇《しゃこ》の道を問わず」

いや墻の外の犬の歩くような道を問うたのではありませぬと言うと、趙州、

「那箇《なこ》の道を問う」

どの道を問うのであるぞ。そこでその人はさらに、

「大道」

と問うた。趙州はこれに答えて、

「大道は長安に通ず」

ハハー大道か、大道ならば国道のことであろう、それならば長安の都まで五十三次、まっすぐに通っているぞ。

いわゆる、宇宙の真理というものは『中庸』にも言ってある。

道也者不レ可二須臾離一也可レ離非レ道也。

道はしばらくの間も離れることはできない。腹が空いて飯を食う、寒くなれば着物を着る、その通りしばらくも離れるわけにはいかぬ。離れるようなものであったならば、それは道ではない。しかしてそれが真実に不勉而中、不思而得ということは容易なことではない。ここにおいてわれわれは修養ということが大切である。

しきりに勉める、しきりに思う、これを思い、これを勉めて、ついによく不勉而中、不思而得るようになる。それが修養である。修養ということは近頃しきりに色々の方面から言うようであ

るが、修養とは、ただ癖がつく……習慣になるということである。

永平開山の教訓に、

諸悪莫作《まくさ》と願い、諸悪莫作と行いもてゆく。諸悪作られず成りゆくところに、修行力たちまちに現成す。

と言われてある。「諸悪莫作」もろもろの悪は作《な》すこと莫《なか》れ。どうぞ悪いことはしたくない、悪いことをせぬようにと心に願う。その悪いことをせぬように心に願い、身に行いつつ往くうちには、誰に頼まれても悪いことができないようになる。すなわち自己本具の仏性という光明が、ここに迷妄の雲を払って現顕したのである。

本来の仏性と愛の力

先年何か重罪を犯して、名古屋の監獄に放り込まれた男があった。日々苦役をさせられて、それが済むと、薄暗い部屋の中に引き入れられる。こんなことが数カ月間つづくと、さすがの悪人も弱ってしまい、色は青ざめ肉は落ちて、見るから哀れな姿となった。こうなると夜ごとに結ぶ冷ややかな夢の中にも、時折は熱い熱い涙を流すこともあった。ある日この男が、与えられた弁当を食べていると、窓前へ一羽の雀が飛んで来て、そこにあった一粒の米を拾った。その男はこれを見て面白半分に、弁当の中から一粒の飯粒をとって投げてやると、雀は嬉しそうに食べた。翌日弁当を食べるとき見ると、またその雀がいるので、今度は二粒やる。こんなことでだんだん沢山与えると、雀の方でも馴れて、ついには部屋の中に来て肩にとまったり腕にとまったりするようになって、冷たい監獄の空気の中に両者は無二の親友となった。

わずか一羽の雀に対する愛と笑ってはならぬ。隙間もれる太陽の光は僅かなるものであるが、そのもとを尋ねれば太陽という大なるものに達することを得るのである。この男は雀に対する愛情がもととなって、今まではさらに感じたことのなかった人間の本心真心というものを認めるようになったのである。

このところにひとたび立ち帰って気がついてみると、過去になした恐ろしき罪悪の影が今さらのごとく良心を刺激する。自分は何たる浅ましいことをしたのであろう。世の喩えに言う通り、浮かんだ雲より沈んだ石とやら、たとえいかほどの難儀をしても、人間らしい行いをしなければ人と生まれた甲斐はないと、全く改心して、よく獄則を守り、監督者の命令によく服したので、監督者もその後は大いに同情を寄せて、できるだけの便宜を与えた。その後明治天皇のご崩御に際し、畏れ多くも大赦のご恩典に浴したのである。

その男は出獄して今では生まれ変わった人のようになり、家業に精励しているという話である。この人のごときは、はじめは兎の川渡り式に浮いた浮いたの誤った世渡りからして、象の川渡り式に真箇《しんこ》〔真に〕徹底した、まことの真道に移った人としてよい例ではあるまいか。そしてなお不断に努力して怠らなかったならば不勉而中、不思而得という大究極に至ることができるのである。

この従容《しょうよう》道に中《あた》るという働き、それが無限の時間を通貫し、空間に充塞して現れてくる。ここまでわれわれは「この道」ということを研究していって、はじめて皇祖皇宗のご遺訓にも、釈迦牟尼《むに》如来の思し召しにも副《かな》うことができるのである。まことと不断の努力はお互い大切なことである。

不断の努力

玉磨かざれば光なし

『法華経』にこういう喩えがある。いわゆる長者窮子《ちょうじゃぐうじ》〔大富豪を親にもつ困窮している子供〕のことであるが、それは書物やお話で諸君のよくご存知のことであろうと思う。

ある長者の息子が自分の一念迷ったためについに出家をした。すなわち他国伶俜《れいへい》〔他国に独りぼっちでいること〕の窮子となったということであるが、長者の息子でも一念〔わずかに・ひとたび〕迷うと他国伶俜の窮子ともなるのである。何となれば〔なぜならば〕それは本性の上から言ったならば仏と私どもとは変わりはないのであるけれども、迷えば仏と千万里の隔たりとなる。悟ればただちに仏の家督を相続する息子となるのである。本性の上にはわれら凡夫と仏とは違ってはいないけれども、一念貪瞋痴《とんじんち》の三毒のために、ついに窮子の乞食となって六道〔衆生が輪廻する六つの世界〕に流浪するのである。しかして六道に輪廻して苦より苦に入り、迷いより迷いに入ってしまうのである。

ところが今の長者窮子が方々と乞食をし、回り回って自分の家に行った。そこで親爺は、これはおれのところの倅に相違ない、こっちへ呼べと言って招じ入れようとしたけれども、乞食はこういう立派な家へどうしましてと言って逃げて行く。彼は倅には相違ないけれども、多年流浪して乞食じみて心が卑劣になってしまったのである。それから後だんだん手段方便をなして、毎日庭の掃除をさせているうちに、長者の一子であることを知る〔わきまえる〕に至り、そこでついに長者の家督相続をしたという喩えである。

われわれお互い衆生は、あたかもこの窮子のように仏と隔たって大変流浪しているけれども、これより段々と修行していくと遂には本性に立ち返ることができるので、その返った時がすなわち仏の法を継いだのである。これがとりも直さず生仏不二《しょうぶつふに》と言って、仏と衆生と元《もと》一体のものであるから本性のところに返って来るのである。曹洞宗の開山道元禅師は、

修せざるには顕れず、証せざるには得ることなし。

と仰せられている。元よりわれわれは仏である。仏であるが修行しなければその本分は現れてこない。これはちょうど燐寸《まっち》は火を含んでいるけれども擦らなければ火は現れない、私どもの本性は仏と少しも違ったことはないが、修行せねば仏のところに至ることはできぬのである。

修行と障碍

われわれお互いは元来仏となるべき可能は自ら有るのではあるけれども、修行しなければその本分は現れないという。しからばその修行とは何であるかと言う前に、まず第一にその修行の障碍《さわり》となるべきものは何であるかということから調べていかねばならぬ。

それは言うまでもなく貪瞋痴《とんじんち》の三毒というわれわれお互いの心の病気である。われわれは往々身に病を得てその苦痛に悲しむものであるけれども、この心の病には常に犯されながらも、かつてまだ悲痛を覚えたことはない。すなわち貪と言うとむさぼり、瞋と言うと怒り腹立ち、痴と言うと愚痴をこぼす。

この三毒病は無始〔始めがないこと。無限に遠い過去〕以来の重病であって、われわれの作《な》すこと為《す》ることの上には絶えず付き寄っているのである。もっと言えば、われわれの常にご飯を食べる上にもこの三毒があるのである。いかんともなれば〔どうしても〕何かうまい物があれば喜んでたくさん食べる、これがいわゆる貪欲である。ところで不味い物を少し食べても直ちに顔色が違う、これすなわち瞋恚《しんい》である。酒呑みが酒をたくさん飲んでは悪いということは知っていても、やはりたくさん飲むのはこれ愚痴である。

されば、むかし印度のある王様が波羅門《はらもん》と羅漢《らかん》とを招いてご馳走した時の面白い話がある。すなわち一方は学者の波羅門、一方は悟った羅漢。その真ん中で国王はご相伴をし大変にご馳走を出した。

すると学者の波羅門は一口食べて大変これは美味しい、こんなうまい物を食べたことがないとお世辞を言った。羅漢の方は敢えてうまいという顔つきもしないで、別にお世辞は言わない。国王は波羅門の方の了見〔考え・きもち〕は分かったが、羅漢の方の了見は分からぬ。いま一度呼んでみようと思って招待の約束をした。今度は不味い物ばかりを出して国王は見ている。波羅門は一口食べると怒ったように、口には言わないけれども、こんな不味い物で人を呼ぶには及ぶまいといったような顔つきである。羅漢の方は不味いという顔つきもしないで、前の通りに食べた。前にうまい物を出した時と同じことであるから国王には羅漢の心持ちがどうも分からぬ。ゆえに羅漢に向かい、

「お前はうまい物を食べる時の顔つきも、不味い物を食べる時も同じであるが、全体お前のその心持ちはどういうのだ」

と言うと羅漢は、

「比丘の口、竈《かまど》のごとし」

と言われたということである。なるほど竈という物は、栴檀《せんだん》〔香木である白檀の別名〕の薪をくべても喜んだことはない、また捨ててきた芥〔ごみ・くず〕をくべても怒ったことはない。『涅槃経』の中には、
善きにおいても悪しきにおいても増減を生ぜず。

と説かれてある。まことに味わうべきお言葉であると思う。

雪峰の修行ぶり

修行をすることについては雪峰《せっぽう》という坊さんほど苦労した者はいない。この雪峰が敷奥山嶺で雪に阻《へだ》てられて、毎日山中で修行している。毎日座禅を専一にするのである。同参の巌頭《がんとう》という人はすでに悟っているから、毎日毎日高いびきをして眠っている。雪峰が巌頭に言うのに、

「お前さんは毎日安心して寝ている、私のためにも世話してもらいたいものだ」

と言う。そのとき巌頭が、

「撞眠し去れ去れ去れ」

と言うと雪峰が、

「実に胸中、未穏在なり」

すなわち私の胸の張り裂けるように思うと言うと、巓頭が言うには、

「それでもお前が今まで経験したことをみな話せ、善いことはおのれが証明してやる、悪いことはおのれが洗却してやる」

と。そこで雪峰が言うには、

「私は初め塩官《えんかん》和尚のところへ行った。すると塩官和尚は上堂せられた。高いところへ上がって法を説かれた。その時、般若の色空《しきくう》の道理を説かれて、初めて五蘊皆空《ごうんかいくう》の道理を合点しました」

と雪峰が言うが早いか、巓頭は、

「ここ去って三十年人に向かって拳着することなかれ」

人に向かってそんな話をするなと言ったそうである。そこで雪峰はさらに、

「洞山《とうざん》の過水偈を見て大いに悟るところがありました」

と言った。これは洞山和尚が水を渡る時に自分の影が映った時の言葉で、その偈《げ》〔仏教の真理

を詩の形で述べたもの」の中に、「なんじ、これ彼にあらず。彼まさに、これなんじ」と言ってあるが、またその偈の初めの句には、「切に忌む、他に向かって求むることを超々として、われとおろそかなり」とある。仏法は他に向かって求めてはならぬ、自分の胸中に向かって求めるが良い、自分の足元に向かい求めるがよろしい、向こうに求めるから得られないのである、すなわち超々としてわれと疎遠になってしまう。この偈を見て大いに悟るところがありました、と言った。すると巖頭が、

「自救不了」

と雪峰の頭を圧《おさ》えられた。貴様一人を救うこともできず、いわんや人を救うことなどできるものでないと言って許さぬことである。ここでもまた雪峰は許されぬ。そこでさらに雪峰はかつて徳山《とくざん》和尚のところへやって行った時のことを巖頭に話をした。すなわち、「従上宗乗中のこと学人還って分ありや」という問いを起こした。そうすると徳山が有無を言わせず棒をもって雪峰を打った。その時ちょうど漆桶の底が抜けたような心持ちがしたと、こう言ったのである。すると巖頭が言うに、

「門より入るものは家珍にあらず」

この意は、六根《ろっこん》なる眼耳鼻舌身意より這入るものは本当のものではない。

「自己の胸襟より流出して蓋天蓋地せよ」

自分の腹の底から這い出て来ねば駄目だ、聞いたものは何の役に立つものでない、自己の胸襟より流出して蓋天蓋地《がいてんがいち》〔この世の隅々まで仏の教えを広めること〕せよ、との意である。巓頭のその声で雪峰は初めて悟った。その時に連声叫んで、

師兄今日鼇山《ごうざん》成道

師兄今日鼇山成道

と言ったということである。

何事によらず全てわれわれが日常の為すこと、話すことは、真実自分の心から出たものでなければそれが本当のものとは言われない。ここにおいて雪峰は真箇《しんこ》の境界《きょうがい》に至ったのである。古人はかくのごとく修行にはまことに苦労したものである。

生死は仏陀の生命

われわれお互いは、ただいたずらに未来とか明日とかいう考えに率《ひか》されて、日々の行いを怠る

のは常である。こうして何の得るところもなく一生を空しく過ごしてしまうのはまことに悲しむべきことと言わなければならぬ。

金銭は一度失ったにしたところが働けばまたこれを得ることができるが、一度失った自分一生の今日、ただ今の時間はいかなる手段をもってしても再び取り返しはつかぬ。誰しも自分にはまだ二十年ないし三十年の永い未来があると思えば、わずかに一日や二日や遊んで暮らそうと寝て暮らそうと、永い一代には何の影響もないようであるとみなす。しかし五十年の生涯も現在の時間を離れてほかにあるものではなく、必ず現在の一刻一日を辿られればならぬ。ゆえに現在の一刻一日の使いようによってわれわれの生涯の価値は定まるのであって、偉人と凡人、学者と愚人、成功者と不成功者との分かれ道はただこの現在、ただ今を油断なく有効無効に使うのにほかならないのである。

およそ世の中に生きているお互い人間であって、この命というものを惜しまぬ者は一人もあるまい。この命を惜しむということを学問の言葉で言えば「生存の本能」と言って、生きとし生けるものが生きようと考えている心の働きである。誰しも死ぬのは厭なことではあるが、生まれた者は誰でも一度は死なねばならぬ。生あれば死ありとはまことに天地の常法である。されば道

元禅師は、

生を明らめ、死を明らむるは、仏家一大事の因縁なり。

と仰せされてある。いったい仏教というものは死んでからのことを教えるものと考え、仏とは縁起の悪いもののように思うのはもってのほかの誤解で、仏教の根本の目的はいわゆるこの生死の中に不死の境地を認め、永久の生命を獲得するの道を教えるに過ぎないのである。

さらに大乗の教義から見れば、この天地宇宙そのままが直ちに一大生命の顕現であり、仏はすなわち万有生命の源であると説かれてある。換言すれば、天地宇宙の一大生命の顕現が取りも直さず三世《さんぜ》十方《じっぽう》遍満の仏教である。

三世とはすなわち過去と現在と未来で、過去には限りなく、また未来にも限りがない。三世に遍満するとは無限の時間にわたっていることで、十方とは東西南北と東南、西南、東北、西北、上と下。上下四方どの方面に向かっても限りがない、すなわち十方に遍満するとは無限の空間にわたっているということである。この無限の時間空間にわたって、いかなる時、いかなる所にも充ち満ちているのが仏の大生命で、『涅槃経』には、

如来は如《にょ》に、いっさい衆生のために父母となる。

とあって、仏陀の生命には限りがない。ゆえにこの時間空間との間に生存しているわれわれの生命もまた従って仏のごとく限りなきものと言うことができる。この限りのない生命の力が顕勢的の状態にあるのを、しばらく〔仮に〕生と名づけ、その力の潜勢的なるのを死と称する。生と死とはあたかも大海の波のごとく、ここに寄せたのが生と言われ、かしこ〔あそこ〕に返すのを死と言っているに過ぎないのである。

しかしながら波が寄せては返し、返しては寄せるのを、大海の水に増減があるのだと思ってはならぬ。大海の水は決して増しも減りもしないのである。そのように宇宙の大生命は不断に流れて不生不滅 不増不減である。この道理が明らかに会得ができれば何も生として喜ぶべきもなく、死と言って悲しむべきでもないはずである。道元禅師が生死は仏の御命なりと言われたのも、明らかにこの道理を説破せられたにほかならないのである。

永久の生命

さらに他の方面から考えてみたならば、われら現在の生命は無限の過去を流れ伝わってきているごとくに、さらに未来に向かっても子となり孫となり曽孫となり同じく無限に流れていくものである。さればこの現在の中に過去の因と未来の果とを含んでいるので、われら現在の生命の中にはすでに三世が備わっているのである。

現在のわが身のあるのは言うまでもなく父母から生まれたもの、その父母には二人ずつの父母があり、だんだんかように〔このように〕前に前にと遡って尋ねてゆけば実に幾億万人の力が集まって今日のわが生命となっているのである。さらにまた今日のわが生命は分化して、われと妻とによって一人または数人を生じ、その子もまた、孫もまた、というように生命は流れ流れて限りのない。われはこれ無限にわたったわれということになり、目前の生死のみをもって論ずべきではないということになるのである。

かく観じ来たれば実に天地はわが父母であり、万有はわが根源であると言わねばならぬ。『華厳経』に、

仏身は法界に充満し、あまねく一切群生の前に現ず。

とあるごとく、絶大なる仏陀の生命の一部分としてわれわれは生存しているので、仏身が無限であると同時に、われらの生命にも生滅増減のあるべきではない。仏陀は絶対の大我、わが身はその部分たる小我、この小さなわが身の上においてのみ見るから、お互いは生だの死だのと区別

をして、あるいは喜び、あるいは悲しみ、四苦八苦に悶えているのである。ゆえにわれわれお互いはこの小我を振り棄てて絶対大我の仏陀を信じ帰依するということがもっとも大切なことである。かくして初めてこの生死海中の小生命の中に無限永久の仏の大生命が得られるのである。

しかるにお互いはなまじなまなかな小智恵や小才覚を振り回すものであるから、あるいは不安に閉じられ、煩悶に犯され、どうのこうのと迷いに迷って非常な危ない目に遭うのがこれ凡夫の常態というもの。かれだこれだと疑念を抱き、いつの間にか仏から遠ざかっていき、迷いに迷いを重ねて煩悶苦悩の暗路に彷徨うようにもなるのである。

されば仏は無限の大慈悲である。仏の衆生を憐れみ給《たま》う〔憐れんでくださる〕ところの愛は、母のその児における愛にも増して広大無限である。信は力なりで、仏を信じて初めてわれわれは泰然自若　生死岸頭に立って何ら生死に累《わずら》わされることなき境地に至ることができるのである。

貴むべき一日の行持

以上のような了解ができ、以上のような信念が得られれば、それがやがてわが身のこの短い命をもって悠久無限の天地の大生命と合し、この小なるわが身が直ちに宇宙無限の大なる力の顕れとなるわけである。無限の時間、無限の空間にわたってはじめてこの身があるがごとく。またわが一身の一挙一動も直ちに無限の時間空間に影響するのであるから、わが職業がいかに小さくとも、その中に限りなき悠久偉大なる或る力を含められるもので、決して現在一日の一動一作も粗末にしてはならぬ。実にわれわれの現在一日は貴《たっと》むべき生命、貴むべき行持《ぎょうじ》である。

かようにわれら現在の一日は、永久なる宇宙の一部分、無限絶対の仏陀の生命の部分で、しかも一度去っては一生涯二度と得られぬのであるから、最も惜しむべき一日、最も貴むべき一日である。もしこの一日を欠いては宇宙もその永久性を失い、無限絶対の仏陀の生命も中断せられなければならぬ。さればこの一日の行動は無限にわたった行動となるもので、永久の生命を得んとする者はまず現在一日の生命をゆるがせ〔なおざり〕にせず、現在一日を意義あらしめ、現在一日に価値ある生存をなすことに努力し修養すべきである。

ゆえに油断をしてはならぬ。仏法と言っても決して遠いところにあるのではなく、どこにでもあるのではあるが、われわれは油断をしているから遂に見逃してしまう。霊雲《れいうん》という人は桃の花を見て悟った。桃の花は毎年毎年開くが誰も悟った人はない。それは油断をして修行しないからである。霊雲が悟る前にどれほど毎日刻苦したかと言うと、その偈《げ》を読んでみるとよく現れておる。

三十年来尋剣客　幾度葉落又抽枝
自従桃花一見後　直至如今更不疑

と言ってある。そこでこの霊雲という人は、あるいは座禅のみをして学問したことはないように思うが、三十年来尋剣客で、われらも立派なる宝剣を持っておるがそれを知らずにいる。この三十年来剣を尋ねるの客で、毎年毎年剣を尋ねるから葉落ち、また枝を抽《ぬ》くという、仮に刀鍛冶に桃氏《とうし》あり、桃の花の開くのを見て、初めて桃氏に逢うのである。三十年来剣を尋ねるの客というように修行に骨を折っていたということがこれで分かる。

曹山《そうざん》大師が、いかなるかこれ仏と問われた時に、谷に充ち途に塞がると言ったようなもので、仏はどこにでもいるから気をつけて油断せずに行くと、水を渡る時に仏にお目にかかることもできれば、桃の花を見て仏にお目にかかることもできる、修行はそれであるから油断ということが悪いのである。古人は油断をしないから事に触れて悟ることができたのである。

〔ここで引用されている「三十年来尋剣客〜」は、道元が『正法眼蔵』渓声山色の巻で取りあげている詩句。「尋ねる」は修行、「剣」は仏性や悟り・真理の比喩的表現と解釈できる〕

仏教の根本義

仏法は理屈ではなくて実際のものである。実行的なものである。たとえ五千余巻の経文を読破しても、その行為がこれに伴わなかったならば、それはただお経の蟲《むし》文字の奴隷である。いわんやお経はただこれ月をさすの指で、文字そのものは決してお経でも仏教でもない。ゆえにむかしより禅門においては不立文字《ふりゅうもんじ》、教外《きょうげ》別伝〔不立文字・教外別伝いずれも、悟りは言葉や文字によるのではなく心から心へと伝えるものという意〕と言うのである。お経を離れてみなければ仏教の真意は解らぬ。文字に捉われ、お経に捉われていては、一生囓りついていても、ついに大悟徹底の時はない。文字を捨てて真参実究せねばならぬ。

真参実究と言えば何だか難しいようであるが、もともと仏教は実際的なものであるから、お互いの日常生活と少しも離れていないから、決してむずかしいことも面倒なことも、さらにないのである。承陽《じょうよう》大師は、

仏道は脚跟下に在り。

と示された。仏法と言えば寺や仏壇の中にばかりあると思い、この信心やお寺参りというもの

は年老いてからの隠居仕事のように思って、若い者には用事はないなどと言う者があるが、脚跟《きゃくこん》下《か》〔足のかかとの下〕にあるとすれば誰の足元にもあるのである。実に仏法は上述のごとく万象森羅、一として仏の露現ならぬはなく、商店ならば算盤ともなり物指しともなって現れ、事々物々ことごとくこれ仏の露現で、まったく、

大には方所を絶し、細には無間に入る。

ものであるから、お互いに手に触れ、足に踏むのも皆これ仏である。それが仏であるとすれば、紙一枚糸一筋でも粗末にすることはできぬ。その疎略に取り扱わぬ心がすなわち平常心、これ道である。

われわれは平常がもっとも大事であるから、平常かかる〔こういう〕確かな覚悟を抱いて、日々を本気になり今日よりも明日、今年よりも来年、一歩は一歩というように絶えず精神の修養に努めねばならぬ。ここにおのずと向上の路は開け、人たるの本義を全うすることができるのである。

超越の妙味

現代人の不安生活

近来は、やれ自覚であるとか覚醒であるとか、個性の発揮であるとか言って、とかく人間は利己主義にだんだん傾いていくようである。また社会の状況はどうであるかと言うと、物質文明によって貧富の懸隔が非常に甚だしくなってきた。ために実際社会の生存競争は非常に激烈になって、人間の苦しみは日々に増してきている。

一方、思想の問題はと言うと、全く懐疑の時代に陥っていると言ってもよい。そしてずいぶん哲学者などは新唯神論というようなものをやり出して、オイケン〔ルドルフ・クリストフ・オイケン 一八四六～一九二六〕とかベルクソン〔アンリ・ルイ・ベルクソン 一八五九～一九四一〕とか、何とか難しいようなことを言って、この苦しみから免れしめようとしているが、その心を説いて詳らかではない。

まったく私どもは、この天地に棲息していながらも、この自分の生きている天地が自分のものやら、あるいは他人のものやら、とんと解らずにいる。これほど不安な、しかもたよりないことはないのである。

また、それはまだしもである。われわれは従昼至夜、絶えるひまもなく、この心というものが現在的欲望の姿のみを追求して暫しも止まない。すなわち、食物に対する欲望——知識に対する欲望——財に対する欲望——異性に対する欲望——というように、まことに人間の欲望は窮まりもなく複雑である。誰しもお互い人間は、それらの個々の欲望の満足を刻々に求めて生きているのである。けれどもその欲望たるや、それがいかに満足されても、常にそれらの欲望をどん底から満足さし得たという心持ちになったことがない。充たしても満たしても、常にその後から後からと何かの不満が残る。そうして、またまたその不満を充たすためにあまり苦心する。こうして人間の心というものは実に常に休まる暇とてはないのである。

ここにおいてか、われわれお互いは、どうかして心の安まる方法を講ずる必要が生じてくる。もし心が絶えずウロウロして落ち着き場所というものが定まっていなかったならば、そこには種々難行の迷妄が生じ、なおその上に不安の影のみを追って歩かねばならぬ。その心身は常に不安に襲われておののいているのである。そんな人でも、こういう生活は決して堪え得られるものでない。ゆえにまず心の落ち着きどころを定めねばならぬ。

精神修養と宗教

しからばこの心の落ち着き場所とは何であるかと言うに、精神の修養によって得たる安心立命、すなわちこれである。

精神修養と言えば、言葉がいかにも古臭いようで、またかと思われる方もあるかも知れませぬが、精神修養の言葉は常に新たにして、念々私どもにはなくてはならぬところのもの、すなわち簡単に言い尽くせば、不完全から完全なものとなるのが精神の修養である。しかればこの修養をなすのに、ある者はいろいろ金言を部屋中に貼り付けて日夜苦しんでいる。しかしそれが精神修養だと思うのは少し間違いである。元来人間の生活は苦痛や規則でもって拘束されるべきものではない。ある方便としてはかかる修養の方法も良いではあろうが、単に規則に束縛せられて、機械的用具になってはならぬのである。

しからば何によって真に解決せらるべきかと言うに、それは宗教の力でなければならぬ。霊的不可思議の生命の説明、および人生の帰趣《きしゅ》〔帰着するところ〕はどうしても宗教的精神修養の力によってはじめて解決せられるのである。

ここに宗教と言ってもいろいろ種類がある。精神修養をする宗教は、その中でももっとも完全な宗教でなくてはならない。基督《キリスト》教はまことに立派な教えではあるけれども、感情のみの宗教で、人生は決して感情のみによって満足することはできない。現代においては、科学を根底として知識を無視しない宗教でなくてはならぬ。すなわち宗教のうちで仏教は哲学であって、知識を重んじ、非常に深遠なる教理を含んでいる。教えすなわち理であり、理すなわち教えであるから、宗教的精神修養をなすには最も完全無欠の宗教である。

いつも相変わらず同じようなことを繰り返すのであるけれども、わが釈迦如来の教えというものは、われわれお互いの肉体がどれほどの安楽を得たからと言っても、心に苦痛があったのでは、人間と生まれて万物の霊長といわれる価値はないのである。すなわち本心本性に立ち戻って真に悠々自適、少しも精神に苦痛のない、常に安楽な心をもつことができたならば、はじめてそのままにこの世の中を楽しむことができるのである。

いま翻って人生界を見るに、人生わずか五十年、七十古来稀《まれ》なりと言われているくらいこの短き命を持ちながら、単なる利益幸福のみを追求してあくせくし、尊く得難き人生を送ってしまうのは実に情けないありさまである。

仏我一如の修養

いったいこの朝夕働くわれわれの生活は何物の所為《しわざ》によるのであるかと言うと、単なるわれわれの意識のみの働きでもなくして、この宇宙に充満せる本体、すなわちわれわれの真我の働きであるのである。しかして人間の価値なるものは、単なる欲望的生活を続けるのではなくして、この真我本体を自得して、それによって生活するにあるのである。わが大乗仏教では、明らかにこの意味を智情両方面の満足のでき得るように説いてあるのであるが、今それを大体について一言すれば、かの『華厳経』には、

奇なるかな、奇なるかな、一切衆生ことごとく仏の智恵徳想を具有す、ただ妄想執着をもってのゆえに、これを証得せず云々……

とある。これは釈迦如来が宇宙の真理、吾人《ごじん》の実我を悟られた時に叫ばれた言葉で、すなわち今までは思いもかけないことであったが、この一切衆生、すなわちすべての動植物はもちろん、その他の万物、有機体も無機体も皆ともにことごとく成仏の姿であって、智恵徳想、換言すれば

宇宙に充ちている不変の大真理、すなわち実我を具有しないものは一物もないのである。けれども妄想執着のために遮られて証得〔真理などの悟り・体得〕すること能《あた》わずと言ってある。たとえば太陽は間断なく光を放って昼夜の差別なく光輝赫々《かくかく》として光明を放っているが、時あって雲霧のために閉ざされるとその光を失うがごとく、われわれの眼に映じない。これと同じくわれわれの本来の面目《めんもく》〔おおもとになるもの。おきて〕の光は、明皓々《めいこうこう》と昼夜を分かたず輝いているのであるが、ただ一朝の迷雲のために覆われてその光を失ったように見えるのである。ゆえに悟りとはすなわちその本来の面目たる実我を認識するにあるので、実我を体得すれば、妄想たちまちに消失してわれわれの生活は同時に仏陀の真生活と化するのである。

そしてこの実我を認め、これを体得したところの状態を仏教では「仏我一体」と言うので、さらにこれを形容して「入我我入の境」とも言うのである。すなわち入我とは実体たる仏理の中に入るというのであって、我と仏理とは個別ではなく仏我一体であるというのである。けれども実際に言うと、仏我一体というのも未だその真を表現した言語ではない。そのところは一点の我、しかして仏陀もあるなくして、しかもその作用は仏の活作用をなすのである。前の形容はいかなるものをもってするも当たらない。これを仮に名づけてまず仏我一如《いちにょ》のところ、わが実体すなわち仏陀になったのであるとか、あるいは悟りの境とか言うのである。

ゆえに悟道の真風光は言詮《げんせん》〔言葉で説明すること〕をもってよく量り知るところのものではなくして、これを知るにはただ人々それ自身に味わって知るのほかはないのである。

仏教の三業とは何ぞ

仏教ほど、内在の偉大なることを教える宗教はない、智恵と内在の力を知ること明なるはないのである。本来具有する仏性は修養次第によって頓漸《とんぜん》〔頓教と漸教。悟りに至る修行の遅速〕成仏すべきものである。しからばその修養、仏教の修養の方法はどうしたならばよいかと言うに、それには種々の方法もあるであろうが、ここでは三業《さんごう》の具足を論じてみたいと思う。

三業というのは身口意《しんくい》の三つ、真言宗などではこれを瑜伽三密《ゆがさんみつ》と称《とな》えるのである。

身とは身体のことであるから、つまり身体の上で種々と行うのが身業《しんごう》である。

口とはわれわれお互いに毎日談話をしたり、あるいは議論をしたりするのも、皆これ口の働きであるから、すなわち口業《くごう》である。

身体にも現れず口にも出さない心の中の働きであって、日常間断なく運動しているところのもの、これがすなわち意業《いごう》である。

しかしてこの三業の中、身三、口四、意三と、かように〔このように〕分け、これを十善十悪と分類することもできるのであるが、詳しくはなかなか高尚複雑なる研究となるのである。しかしながらこれを要するに善の三業と、悪の三業との二通りにして、善いことを思い、善いことを言い、善いことを行えばそれが善の三業となり、もし反対に悪いことを思い、悪言をし、悪行をすればそれが悪の三業となるのである。そこで同じ三業も使いよう一つで善悪となる。換言すれば、三業が善に向かって進み行けばついに仏の位に達し、もし反対に悪方面に増長すれば次第に墜落して地獄畜生の身と下り果てるのであるから、われわれはこの分別がもっとも大切なのである。

いま善の三業について考えてみるに、畢竟《ひっきょう》〔結局〕は身口意の三つの善悪が最上乗に揃わなければ正覚果満《しょうがくかまん》〔正しい悟りが完成すること〕の仏とはなることができないのである。さらに言えば、口で言うことと意《こころ》の中で思うこととが全然反対であったならば、すなわちこれ虚言である。虚言を平気で言うような人間であったならば、いかに偉そうに悟り顔をしていたからといって到底仏などになれようはずがないのである。

また口と意だけが揃っていたにしても、実際の実行がそれと反対しているようであったならば、これまた論ずるの限りでない。世の中の大抵は、ただ口先や文章はなかなか立派なことを言っていながらも、さてその人々の実際の行為はと言うと、全然それと反対なのが多くある。そうした人々がいかほど騒いだからとて、それで社会国家のために利益を与えることができるはずがないのである。

ゆえにわが仏教の要点とするところは、身口意の三業すなわち身体ですること、口で言うこと、意で思うことが符合して三拍子揃ったところをばいわゆる三業具足、あるいは三密相応とか言って、これをもっとも大切とするのである。すなわちこの三業を少しずつでも善い方に向けて、欠点のないようにと心がけるのである。もしこの三業具足して、一切万事が言うことと思うことと為《す》ることとが、悉皆《しっかい》〔すべて〕同じようになって少しも道を離れぬことができれば、仏教の目的は立派に遂げられ全人格を完全にすることができるのである。同時にこれが精神修養の最終の目的であらねばならぬ。

各宗による三業弁

一口に仏教と言っても各宗各派に分かれて、おのおの主義を立て宗旨を広めている中には、この三業《さんごう》の中の身業《しんごう》を専門として教える宗旨があれば、また、口業《くごう》を入口とする宗旨もあり、互いに意業《いごう》をもっとも大切とする宗旨もある。近来流行するところの禅宗等はどうであるかと言うに、すなわち身業を主としているのである。

禅宗の座禅というのは、身体を安らかにして座り込むのであって、また禅とは詳らかには静慮《じょうりょ》と言い、心を静めるのである。曹洞宗の開山承陽《じょうよう》大師〔道元〕は『普勧坐禅儀《ふかんざぜんぎ》』の中に、

諸縁を放捨し、万事を休息し、善悪を思わず、是非を管することなかれ……

心意識の運転を停め、念想観の測量を止めて、作仏を図ることなかれ……

ともあって、もとより意業の方をまったく止めてしまうのである。意業はしばらく措いて、一心に身業の打座を行えという主義である。また同じ『普勧坐禅儀』の中に、

舌は上の顎に掛け、唇歯相着け、鼻息微かに通ず。

とあって、座禅をするときには口を利いたり話をしたりするどころではない。鼻息さえも荒くしてはならないのである。わずかに息が細かく通うくらいにしておらねばならぬのであってみ

れば、口業の方から勧めるのでもないことは無論であるから、禅宗が身業の修行をもって第一の主眼としているということは、何びとも依存はあるまいと思う。

次に浄土宗について調べてみると、禅宗とは全然反対であって、身体の修行にも勧めなければまた心の修行も勧めない。ただ何にかかわらずに悲しい時にも嬉しい時にもただ口に任せて、南無阿弥陀仏を唱えさえすればそれで良いのである。円光大師《えんこう》〔法然〕のお示しにも、

もろこし我朝に、諸の智者たちの沙汰し申さる、観念の念にもあらず、また学問して念の心をさとり申す念仏にもあらず、ただ往生極楽のためには、南無阿弥陀仏を申して疑いなく往生するぞと、思いして申すほかには別に仔細候わず。

とあるによっても、観念観法も要らなければ、足を傷めて座り込むにも及ばない。ただ口に任せて南無阿弥陀仏と申しさえすれば極楽往生疑いないと教えるので、何より大切なのは称名《しょうみょう》〔仏の名を唱えること〕であるから、浄土宗では三業の中でも口業をもっとも第一とすることは明らかなことである。

また天台宗や真言宗等ではどうであるかと言うと、天台宗の主義とするところは、天台大師作の三大部〔天台三大部（法華三大部）〕の中に「摩訶止観《まかしかん》」という部分があって、詳しく観法の

ことを説明してある。観法のことはなかなかむずかしいのであるけれども、要するところは三止三観と言って、見思《けんじ》、塵沙《じんじゃ》、無明《むみょう》の三つの煩悩の起こるのも止め、さらに空《くう》、仮《け》、中《ちゅう》の三諦《さんだい》を観ずるのである。すなわち観念を凝らしてはじめて修行を成就するのであるが、この三止三観を行うには、ただわれわれお互いの一念、すなわち心においてこれを観念観察していくのであるから、一言にしてこれを一心三観とか、または一念三千とか言って、心を離れて観ずるわけにはいかないのである。

真言宗というもその通りで、三密相応と言うは修行の成就した上のことで、まず理想の方でも如実知自心と言い、十住心と言い、意業が主であって、事相〔密教での実践方面〕になっても運想というのが何より大切である。

信仰的安心の生活

かくのごとく各宗おのおのその主意とするところを別にしていても、よくよくその中に入ってみれば決して相違のあろうはずはないので、禅宗の祖師にしても座禅の最後の目的は、三業具《さんごう》足し三行一致しなければならぬと説かれてある。浄土宗にしても終局はどうしても三業具足となるものとしている。ないし〔あるいは〕天台宗でも決して心のみで観念すればよいとは説かない。やはり三業具足を目的としているので、そこまで行けば何宗だからとて違ったところはない。もしこの三業具足を論じないということであったならば、仏教は世界の一大宗教でも、また前述の完全無欠の高尚なる教法を具えたる宗教でも何でもないのである。しかして大乗仏教の功績は全く没却〔無視〕されてしまい、仏祖の本意に遠ざかるのみならず、社会国家の福利を増進することなどは到底不可能のこととなってしまう。

よって何宗でも自分の好きな宗旨をこれはと決めこんだならば、飽くまで深く研究して、まことの仏教の道理を了解して自らの心を定め、為《な》すこと作《な》すこと一切万事、皆ことごとく宇宙の大道に適い、商人は商人、官吏は官吏らしく、行住坐臥《ぎょうじゅうざが》〔普段〕、造次顛沛《ぞうじてんぱい》〔ごく短い時間〕にも宇宙の真理実相に悖《もと》らぬ〔反しない〕ように心がけて、ひたすら三業の円満具備をこいねがうべきである。

われわれはこの三業具足して、ここにはじめて霊妙不可思議の心も会得せられて仏陀の精神と自己の精神とが一つになるのである。しかして相共通するところあれば、そこには信仰の泉は湧いて流れてくる。仏とわれと一つであるということの信念、この内在力、これが真の宗教的精神修養の根本義であり、信仰の結晶である。さればここにおいて真の信的生活が営まれ、絶対中《ちゅう》にわれを注入し、しかもわれの中にまた絶対を宿して不即不離、対我一如の境界《きょうがい》が現出し、不安はすでに姿をかくし、何物にも何事にもびっくりしない金剛不動の大精神、八風吹けども動ぜざる底《てい》の〔なにがあっても動じないような〕安心立命が得られるのである。

信の絶叫

無限の光明

人が人らしくこの世に処していく上においては、世間的においても、出世間《しゅっせけん》（俗世間の煩悩を超えて悟りの境地に入ること）的なるにも「信仰の力」ということが最も大切である。諸々の善法をして増長せしめ、一切の功徳を生じ、大道の根本となるものは信心であって、この信心は誠《まこと》の心の発現したものである。およそいかなる大事業を成し遂げるにも、その基礎となる無限の力、すなわち信の力は欠くべからざるものである。『華厳経』の中に、

　信は道元功徳の母なり、よく諸の善法を増長す。

とあり、また「信をもって能入《のうにゅう》となす」ともありて、信仰は成功の門扉を開く鍵である。実にこの信は実にわれわれの行路を照らす光となり、また世の中より受ける迫害に反抗する力ともなるのである。

滔々《とうとう》として流れる河川の小石は、水流によって遂に下流へ下流へと押し流されていくのであ

るが、河底にある大磐石は、その激流に押し流されずに次第次第に水源の方へ遡っていくことは事実である。

われわれが世に処していく上においては、いろいろなる迫害、圧迫、苦痛、誘惑というような激流が凄まじい勢いで流れてくる。ここにおいて確固たる信念の力のなき薄志弱行の輩は、かの小石の下流に押し流されるように、その奔流に呑まれて反抗の力なく、ついには泥砂に埋没されて終わるがごとくになって、社会の敗残者となり、落伍者となってしまうのである。

で、われわれは、あの大磐石のようでなければならない。社会の激流に逆らっていく力、われわれの胸に深く包んでいる信念の力を発揮して社会に抗していかねばならないのである。

また、いかに宏壮な石造や煉瓦造りの家を建てても、土台のない所に建ったのでは、わずかな風や、少しの水のためにも流されてしまうのである。そのごとくわれわれは信仰の力という土台を堅固にして未来を建設していかなければならない。そしてすべての迫害、闘争、嫉視も、自分の霊から輝く信仰の火をもって、あらゆる障礙《しょうげ》〔悟りの障害となるもの〕を突破してまっしぐらに、その主義を貫徹しなければならない。ゆえにわれわれ日常生活の上において信仰は光明であり、また力である。この人生において見ることのできない信の光明、信の力ということについて以下詳しく述べようと思う。

本心の発露と動向

信仰の光明、信の力をもって世に処しても、肉体上から言う時は、相当の時間を要することは当然のことである。たとえば貧者が富者となり、愚者が賢者となるには、時間と不断の努力を要することである。

これに反して精神界のこととなると、この信の力によって、さらに〔まったく〕時間を要しないのである。すなわち信の一念において、一超直入如来地《いっちょうじきにゅうにょらいじ》〔ひとたび迷いを超越できれば直ちに仏の境地に至ることができる〕となり、一信決定《けつじょう》の時にすなわちこの身は成仏しているのである。

しかしこれは道理であって、なかなか一信決定ということはできないものである。信仰を体得すれば偉大なる力が現れてくるのであって、この力はわれわれの肉体を左右することができるものである。この理を深く自覚して、心を直《ただ》しくして行為が自ら正当になるよう、常に注意しなくてはならない。心と身との両者が善良正直になったならば、眼に視、耳に聞くところの万物は自ら正直に、如是《にょぜ》〔かくのごとく、ありのままに〕に見えるようになるのである。心が不正であったならば天地も肉体も邪となるのである。

かの越中富山の薬屋が年に一度回ってきた時に、一度に葛根湯なぞ三十服も置いていく。一年後に来て、残ったのは皆持っていって新しいのを置いていくが、古いのはどうするのかと内幕を聞いてみると、行商人はなかなか油断がならない。その夜、宿屋に帰って古い包みを取って、新しい包みと入れ替えにする。その古いの〔古い薬〕でも、いざ風邪を引いたとなると呑んで効能がある。

これ、信ずるという心の肉体に及ぼす影響である。また心の持ちよう一つで無病健全な人も病人になることができる〔なることが起きる〕。いかなる粗食でも美味いと思って食えば滋養にもなる。催眠術で施術者が被術者に水を与え、これは湯であると言うと、彼はいかにも湯を呑むようにして口に入れ、また湯を与えて水だと言えば、湯も平気で水のように呑むということがある。これらは変態心理学上から見ると当たり前のことである。

この道理から推して考えても、明瞭であることと思う。喜怒哀楽等の情は自分の心の信じよう一つで、自分は幸福な者であるとも、自分ほど苦しい不幸な者はないとも思えるのである。

その根本に立ち入って考えてみれば、さらに幸だの不幸だのという自性《じしょう》（そのものが本来備えている性質）はないのである。ただ人間が自分で思い思いに定めたことである。だから甲が苦なりとするところも、乙はかえって楽であると思い、乙が苦とすることも、甲にとっては愉快であると見る等のことは沢山ある。人々の職業についても、紙屑買いや隠坊《おんぼう》（死体の始末を仕事とする人）などをしていても、われは実に幸福であると商売に喜んでいる者もあれば、それと反対に何という自分は不幸な者であろう、嫌だ嫌だと歎息している者もある。

あるいは大学者になったのが不幸であると感じ、無学者が幸福であると思ったり、富貴にあって意に充たない、不愉快なことばかりに感じたり、貧乏していて痛快であると考えている者もある。かくのごときは畢竟《ひっきょう》心の持ちよう一つである。

むかし乞食の六助という者の作った詩に、

一鉢千家ノ飯　已身幾度ノ秋
非ズレ色ニ亦非レ心ニ　無クレ憂モ亦無シレ楽モ
冬ハ暖ナリ桑園ノ内　夏ハ涼シ橋下ノ流レ
人若シ問ハバ二此六ニ一　明月浮ブ二前泉ニ一

実に面白い境界《きょうがい》である。いかなる金殿玉楼に生活しても、またどんなに美味佳肴《かこう》を口にしても、慣れてくれば、六助の暮らす橋下、欠け椀に盛った残り飯と変わるところはない。むしろその欠け椀ひとつに世界中の食物を入れることができると楽観している方が幸福かもしれない。盗人の用心も不要だし、金を催促したりせられたりする心配はさらになく、楽々と世渡りができるのである。

純信と感応

およそ人間が苦と観ずるのは、二見があるからである。物我〔外界の万物と自分〕は一如《いちにょ》〔一体〕である。すべては平等であると観じ来たったならば、喜憂苦楽はさらにないのである。ただ縁に任せて去来するところ、その心地は清風明月のごとく玲瓏《れいろう》〔澄んでいるさま〕たる心となって、月が浄穢《じょうえ》〔清らかなものと汚れたもの〕を照らしてもそれに染まらないがごとく涼しい心となることができるのである。

苦はすなわち楽である。娑婆がただちに浄土であると観ずるのは、これが正しい信の力である。ところが現代においては迷信とか妄信という、似て非なるものがたくさん出てきた。これらは信のないということより、なお害があることと思う。これらによりて、国家に害毒を流し、社会の安寧秩序を妨げ、人道の大本に背き、国民精神を損なう類のものが少なくない。また人体に害を及ぼすということもある。これらは真に文明を誇りとする国としては恥ずべきことであると思う。しかし迷信なる宗教であるとしても一応の道理はある。誠心誠意をもって信仰すれば功徳利益はないでもないが、手段が悪く弊害が多いのである。これらはわれわれの取るべき道ではない。曹洞開祖承陽《じょうよう》大師は、

いたずらに所逼《しょひつ》を怖れて山神鬼神等に帰依しあるいは、外道の制多《せいた》〔祇陀《ぎだ》太子の別名〕に帰依することなかれ。彼はその帰依によりて衆苦を解脱することなし、早く仏法僧の三宝に帰依し奉りて、衆苦を解脱するのみに非ず菩提を成就すべし。

とお示しになっている。実に信は人を新生命に導くものとなり、また邪道に陥れるものともなるのである。およそ何びとといえども必ず信はある。その信に浅深と善悪と邪正とがあるから両途に行くこととなるのである。

人は必ず邪悪の信を去って正善の信に入り、さらに浅い信から深い信仰に至らなければならない。

次に、道理もよく了解して起こす信仰、これを解信と言うので、『学道用心集』の中に、
仏道を修行する者はまず、すべからく自己を信ずべし。自己本道中に在って、迷惑せず妄想せず転倒せず、増減なく、誤謬なきことを信ずべし。かくのごときの信を生じ、かくのごときの道を明らめて、よってこれを行ぜよ、すなわち学道の本基《どだい》なり。
と示されてある。信仰の標準〔よりどころ〕は己心《こしん》である。自己は道の真ん中にあるのである。この信をもって、まず教理に通達する人について充分に教理の深浅曲直の道理を聞き究めた上、自分の理性によく訴えて、なるほどと充分首肯できたところに自然と起こる信仰を言うのである。

次に仰信とは仰いで信ずることである。西洋流の眼をもって見ると、この仰信は野蛮教だとか偶像教であるとか言うが、しかし真実の信仰という上から言うと、信ずる対象物がいかなる偶像でも画像でも、理論上の理屈を離れて自己の本心本性より誠心をもって対象物を信ずれば、必ずその霊験があり、感応功徳がなければならぬ。むかし道障《どうしょう》法師は大小の石を集めて説法したところが、その大小の石が倒転したという有名な話がある。

いわんや釈迦、観音、地蔵、薬師、大日、その他すべての諸菩薩、古今の大偉人を一心に成り

きって信ずる時は、すなわち信ずる人の心が仏となり、大偉人となる。これが感応道交《かんのうどうこう》（仏と人々の心が通じ合うこと）で、その功徳、利益、霊験のあることは疑うべからざることである。

迷の最後の解決

聖人とか偉人とかを絶対に尊信し、その教訓のごとくに導かれ、その教えを信ずるところに自己の生命を確立するのが仰信であって、迷信とは似て非なるものである。

かの迷信は向こうに絶対に尊信すべきものもなく、ただ種々様々なるを聞き込んで人もかく信ずるが、考えてみるとそれに相違ないらしいと無闇に決めこむ一時的の精神の小休み場を言うのである。その信仰を正しき師に就いて正邪なるを仰ぐでもなく、ただ衆愚の言葉を衆愚が聞いて衆愚的判断を下して衆愚的信を起こすのである。これに反して仰信は、万古《ばんこ》不磨（遠いむかしから変わらないこと、いつまでもなくならないこと）の大道をお悟りになった仏祖をまず信ずるところに成り立つ。迷信と仰信とは、その理論上の解決を待たない（するまでもない）という点からはよほど似ているが、その間おおいに相違があって、実に黒白《こくびゃく》相容れぬものであるということは明らかである。

たとえば田舎者が東京見物に出かけようと考え、その道順や道中の心得から、また着した時に行くべき宿屋や見物の順序を一応聞いておく必要があると思ったとする。自分の考えも用いずに、また実際に行ってきた人か否かも究めずに、甲乙丙丁の人について様子を聞き、左様かくかくと信ずるのであるから、いかなる間違いが起こるとも限らぬ。これが迷信者である。仰信者はそうではない。この人は確かに東京へたびたび往来したのであり、東京に永く住居していた人であるということも深く信じて、そしてその人について東京の話を聞くのであるから、少しの疑いを入れるの必要なく、その案内に従って行くようなものである。

これで仰信の意味が分かったことと思う。こうして仰信は、自分に深い学問がなくても信仰に入ることができるのであるから、仏教ではこれを尊しとなしているのである。

次には純信ということである。これは真実に徹底した信である。これが信の落ち付き〔たどり着くところ〕であり、仏教の大目的である。ここに至ってはじめて、真に大安楽の境界《きょうがい》と言うべきである。ここに至れば古来の偉人と同等の時節となったのである。

おもしろや　散るもみじ葉も　咲く花も
　おのずからなる　法のみすがた

自然の妙味を会得し、自由な境界となることを得るのは、実に信の偉大なる力である。

平和の大精神

人生の表面と裏面

何事にも表向きと裏向きがあるものである。商人等が「そんなにお値切りくださいますと損が立ちます」と言うのは表向きで、売りつけてしまって儲かったというが裏向きである。

学校の先生が堂々として講堂に立って倫理の話をするのは立派である。教育勅語に仰せられた夫婦相和し朋友相信じ、である。これは表向きで、先生が学校から帰って妻君と弁当のお菜の悪いのを議論するのは裏向きである。

どうか表向き裏向きのないようにしたいものであるが、それができない。いかなる人でも裏面がないようにしたいものである。

私どもの境界《きょうがい》は、生死苦楽があたかも糾《あざな》える縄のようなものであって、苦の中には楽が含まれ、また楽しみの裏には必ず苦しみが潜んでいるのである。また生という喜びには必ず死という悲しみが纏《まと》わっていることを忘れてはならない。しかるに私どもはこれを悟らずして、常に限りある身を持ちながら、限りなき欲望を抱き、不義の快楽を貪らんとして却って苦を大ならしめ、つまらぬ愚痴の涙にくれるのである。

お互い人間の心というものは、むずかしい理屈の上から言ったなら様々あろうけれども、これを簡単に二つの方面に分けることができる。すなわちその二つの方面とは、心が内から外へ出るのと、外から内へ来るのとの、この二つである。

たとえばここに一つの希望があって、この茶碗なら茶碗を取ろうと思うのは、内から外へ出る方である。一体人間の心というものは勝手気ままであるから、上って天に達し、下って地に潜ることができる。ただ考えるだけなら自由に考えられる。内から外へ出るだけならば易いが、その通りにいかないのは、外から内へ来る奴があるから、いつでも理想というものと問題というものと、あるいは現実と問題とが、衝突するのである。――生きておりたい、死なねばならぬ。楽しみをしたい、苦しいことが来るといったように、内から出るものと、外から来るものとが衝突する。

子供の時には、内から外へ出る考えが強固でない。自己の考えというものは子供の時分は極めて弱いもので、すなわち自分ではこうしたい、お父さんができないぞと言えばそうですかといったように、自己の考えが薄いから心配がないのである。

ところが十七、八歳くらいから二十五、六歳くらいまではいわゆる人生の危機と言って、自己の考えが弱くなる。すなわち、できないぞと〔第三者が〕言う、〔しかし本人は〕できないでもやりたい。できないぞと言われて引っ込んでしまえば衝突がないのであるが、できないと言われても、それでもやりたい。ここに理想と現実とが衝突するのである。

誰でも成功者にはなりたい。しかしそれには勉強しなければならぬ。ところが勉強や努力をするのはどうも嫌いである。これすなわち内から外へ出る、外から内へ来る——これがすなわち人間の心配のもとであって、そのために色々な心配が絶えないのである。

それについて仏教の中におもしろい喩えが説かれてある。

ある人の家に、容貌すこぶる美麗な婦人が訪れた。主人が出てきてその来意を尋ねてみると、その夫人の答えて言う様には、

「私は功徳天《こうとくてん》と申します。それゆえに私の至る所には必ず吉祥福徳があります」

これを聞いた主人は大喜びで奥の間へ案内をした。するとまた一人の女が訪ねてきた。主人はまた福の神ではないかと思いながら出てみると、今度は意外にも世界無類の醜婦であったから

気色〔顔色〕を失い、その来意を尋ねてみると、醜婦は、

「私は闇黒天《あんこくてん》と申します。それゆえに私の至る所は必ず不祥災害があります」

と言った。主人はこれを聞いて打ち驚き、

「そのような人なら早速出て行ってくれ、一刻もいてもらっては大変だ」

と追い立てたところが、今の女の言われるに、

「先ほど当家に来たのは私の姉であります。私はこの姉と片時も離れていることはできないのです。それで姉を止めておくならば私をも止めてください。それとも私を追うのならば姉をも追い出してください」

と頑として動かないので、主人も大いに困り果て、ついに二人とも追い出したとある。これは、人生の生死苦楽は今の姉妹のごとくにして、一時も離れぬものであるということを諭されたのである。

内発的と外襲的の欲望

すなわち人生は苦の海、涙の谷なりと言われている。青年時代は、あるいは煩悶があっても痛

苦があっても華やかな時期であるけれども、中年になり、老年になるに従って、この煩悶はますますひどくなる。第一にわれわれの頭上に一番強く当たってくるのが生活問題で、青年の時代には、功名手に唾《つば》して成るべし、という元気で何事でもやる。実際やってみると現在そうはうまくいかぬ。みんな青年の思っている通りになったならば、日本は大将ばかりになるのであるが、そうはいかない。

人間のこの世の中を渡っているのは、あたかも汽車旅行をしているようなものであると思う。汽笛一声、東京駅から大阪まで行くと仮定する。東京駅で自分が汽車に乗る時分には人がたくさん乗っている。そんなに一杯ではまことに窮屈であるけれども、この人たちが皆が皆まで大阪に行く人ばかりではあるまい。まことに窮屈であるが今に国府津へ行ったら空くだろう、と。国府津へ行くと、また乗る人がある。沼津で減るだろうか、静岡で減るだろうかと、ちょうど人間が世の中を渡るのもそんなもので、今年は辛かったが来年はどうかなるだろう、来年は来年はと言っているうちに死の期《とき》が来る。京都あたりへ行って客が減って楽だと思う頃にはもう大阪で降りなければならぬ。楽になった時分にはもう棺桶に入るというように、煩悶は生涯を通じて続いている。

曇鸞《どんらん》大師という人が、

苦楽相寄り、なお重担を荷《に》なうがごとし。

と諭された。実にその通りで、重荷をかついで遠道をするに、右の肩ばかりに荷なっておっては右の肩が痛んでくるから、左の肩へ換え、その換えた時にはやれ楽じゃと思うが、またじきに左の肩も痛みだして苦しくなる。いま私どもの世渡りもこれと同じで、後から後へと苦しみが続き、楽しんで暮らす日はごく稀である。

そこで私どもの心配の根本、内から来た欲望、ああしたい、こうしたいという念、それから外から来るところの毀誉褒貶の念、たとえば世の噂とか人の噂とかいうものが自分の頭に響いてくるから、内からは欲望に攻められ、外からは毀誉褒貶に攻められて、われわれの心に煩悶が生ずる。いかにすればこの心が治るかという、これをわれわれは研究せねばならぬ。

死生一如の端的

われわれは道を歩くのに一筋道であったならば決して迷うことはない。と同じように、心の迷いというものも、ああもしたい、こうもしたい、これも欲しい、あれも欲しいというように二つ以上あるから迷うので、一つに向かっていれば決して煩悶がないのみか、自己の欲望を制止することができるのである。

赤穂の義士大石良雄が祇園町で酒を飲んで遊んでいた。すると薩摩の人で村上喜剣《きけん》がこれを見て大石を罵った。

「赤穂の城代とも言われる者が仇を報ぜないで酒色に沈湎しているとは何事だ、人間の魂がどこにある、犬侍め」

だが大石は少しも腹を立てない。かえってその人の後ろ影を伏し拝んだ。毀誉褒貶何かあらん、今に敵を討つという考えが重《おも》なる考えとなっているから、それを害せざる限りは何ものが来ても心へは這入れぬ。すなわち心が一つになっているから迷わぬのである。どのようなことがあっても変わらぬ一つに心を置かねばならぬ。この一つということが解って迷わなければ、生死の問題でもそんなに解決がむずかしくないのである。

これを宗教の方から言ったならば、死んでから後のことは仏様に頼んでしまう。死んでから後のことは仏の方に任せてあると、生死の問題は容易に解決ができるのである。

一杯の水が露となり、雨となり、雪となり、氷となる。ただその姿が変わるだけで、そのもとは一である。また大海を見てもそうである。とどろく波は寄せては返しているけれども、その水は大海に一滴も増えたのでもなく、また一滴も減ったのではない。海を離れて水がなく、水を離れて海がない、ただ一つである。さればいま生死の問題もただ一つであるかと言うに、ここは宗教の方で言うと、信仰の力でなければ覚悟ができぬ。

むかし、廬山の円通寺に縁徹《えんとく》和尚というえらい坊さんがいた。ある沢山の弟子を集めて生死の問題を説き、生死は大海の波のようなものである、寄せたからといって増すのではない、返したからといって減るのでもないと講釈していた。

あたかも〔ちょうど〕そのときである。宋の曹翰《そうかん》という将軍が二千の兵を率いてドカドカと押し寄せてきた。すると今までその説を聞いていた連中は驚いて皆逃げてしまった。ところが縁徹禅師のみは本堂に平然と端座している。こちらは坊さんを追い出せばそれでよい、殺すつもりではないのであるが、縁徹和尚のみは出ないのであるから、そこで曹翰は刀を抜いて和尚の後ろへ立った。

「なんじの後ろに人を殺す将軍のあるを知らざるか」

そのとき禅師は笑って、

「なんじの前に死んでも何とも思わない和尚のあるを知らずや」

と。言うだけならば誰でも言うことができるが、いまは本当に刀を抜いて立っているのである。いまの和尚の心持ちはすなわち生死が一つになったのである。

今日われわれがこの世でしつつある仕事が、仰いで天に恥じず、俯して地に恥じずと言うならば、この身がいかにされようともわれわれは一向平気なのである。

浮世の旅と人生の旅籠屋

苦の新しきを楽しと思う。

と『大論〔大智度論《だいちどろん》〕』にも示されてあるがごとく、私どもはその苦しみなるものが新たに来たのを捉えて、これが楽しみじゃと一念の妄心をもって深く執着するから、たまたま苦しみに遇《あ》うと憂悶することもまた甚だしいのである。兼好法師は、

愚かなる人は、ふかく物を頼むゆえ、怨みいかることあり。

と申してあるごとく、何事によらず余り物事を頼りすぎると、一朝逆縁に遇う時は、天を恨み、人を咎め、わが身を託ち《かこ》〔嘆き〕、やるせなく愚痴をならべて煩悶し、ついには人生をはかなみ

自殺する者さえあるのである。こんな場合に確乎不抜の信念があって、浮世の仮楽《けらく》に超越したところの真楽《しんらく》〔真のしあわせ〕を味わっている人であったならば、決して惑うことはないのである。

『論語』にも、

子いわく、賢なるかな回《かい》や。一箪《いったん》の食《し》、一瓢《いっぴょう》の飲《いん》、陋巷《ろうこう》に在りて、人はその憂いに堪えず、回はその楽を改めず、賢なるかな回や。

と言ってある。顔回《がんかい》という人はその家貧しくて、わずかに一箪の飯、一瓢の酒を呑んで、しかもあばら家に侘び住まいをしていながら、それをさらに苦にしない。もし他の人であったならば、心配や難儀に堪えかねるであろうに、顔回はそんなことには少しも頓着しないで、いつも相変わらず学ぶところの聖賢の道を楽しんでいる。これは道心という一つの心に定まって、世の中の貧富貴賤などのことは毫《ごう》〔すこし〕も邪魔にせぬからである。この精神をもって世の中に処していったならば何でもやれぬということはないのである。

もしもこの人生を旅籠《はたご》屋にたとえ、われわれがあの浮世という大きな宿屋に泊まりながら、世の中のためになることもせず、空々寂々五十年を過ぎてポックリ死んでしまったならば、旅籠賃を払わずに旅立ったもので、無銭飲食、食い逃げの輩である。もしわれわれがこの世の中に生まれて立派に旅籠賃を払っているならば、いつ出立《しゅったつ》しても差しつかえはないのである。

こういう風に考えて忠実に働いていくならば、人間はどこから見られても恥ずかしくない。しかし弱い者で、外から来た毀誉褒貶になやまされ、人が、お前がえらいと言えばそうかと思い、人がえらくないと言えばまたそうかと思うように、自分の身体を他の人のために動かされるようでは駄目である。丈の低い者が、お前は丈が高いと言われても別に丈が高くなったのではない。ここに至り毀誉も褒貶も一つである。大海の寄せては返すがごとく、一つの心が定まっておれば、他人の毀誉褒貶に決して動かされることはないのである。

喜怒哀楽も心の持ち方

むかし釈迦如来のところへある婆羅門《ばらもん》〔司祭者・僧侶〕が来て、釈迦如来の悪口を盛んに言った。そこで釈迦がその婆羅門に言うのに、

「お前の家では客が来てご馳走をして、もし客が食わずに帰ったらどうするか」

と問うたという。婆羅門いわく、

「仕方がありませんから、家で食います」

釈迦いわく、

「左様か、お前は先刻たくさんご馳走をしてくれたが、私は食わないからどうか持って行ってくれ」

と言われたことがある。行誡《ぎょうかい》上人の歌にも、

こりずまに 打ちは寄せても 岩が根に
おのれ砕けて かえる仇波《あだなみ》

とあるがごとく、自分の意志の弱い者は浮世の潮流、人の噂のためにゴロゴロ流されてしまうのである。自分の心が弱いから畢竟《ひっきょう》一つの物を見ても悲しむ人もあれば喜ぶ者もあるようなもので、絶えて〔すっかり〕先方の者のためにこちらが支配せられ、わが心がその度ごとに追い使われて、泣いたり笑ったり怒ったり嬉しがったりさまざまの働きをあらわすのであるから、まずこの心を落ち着けて滅多なことには動かぬという慣習をつけねばならぬ。

たとえば、今がちょうど花が見頃であるというので多くの人々が出かけて行く。その中で一人の人は心嬉しそうに、実に綺麗ではありませんかと袂《たもと》から鉛筆を出して写生をする。歌も考えるというような、いかにも楽しいさまである。

それに引きかえて同行の一人は同じその花を見るにつけても、何となく憂いに沈んで、ついにはホロホロと涙をこぼす。花の方では何も泣いてくださいと頼んだわけでもなく、また楽しんでくださいとも言ったのではない。けれども何ゆえに一人は楽しみ、一人は悲しむのであろうか。思い出せば去年のちょうど今頃は娘を連れてここへ花見に来たのであったが、そのとき娘はどんなに喜んだことであったろう、しかるにその後まもなく病気に取りつかれて今はこの世に亡いのである。今年も人に誘われて来てみれば、花は昨年のとおりに咲いている。去年娘が喜んだ花と少しも変わらずに咲いている。年々歳々花相似たり、歳々年々人相同じからず、それを見るにつけても去年は娘と一緒であったということを思い出して、花を見ている心が無くなるのである。

かたみこそ 今はあだなれ これなくば
　忘るるときも あらましものを

という古人の歌がある。亡くなった人の遺品、この遺品はせめてもの思い草になろうけれども、見る度ごとに涙にむせぶ。いっそ無かったならばと、かえってその遺品が恨めしく思われる時節がある。実に人情の極意を詠んだもので、今この花にしても同じことで、花の方には何の考えもない。他人が現在見て喜んでいる花を自分は悲しみの種にするということは一応無理もないことであるけれども、畢竟心の置きどころ、精神の据え加減一つになるのである。

与奪縦横の活手略

花のみに限ったことではない。朝夕すること為すこと、親子 兄弟 夫婦の間において、われわれお互いの心ほどたよりないものはない。

うつりゆく はじめもはても 白雲の
あやしきものは 心なりけり

で、憎い可愛い惜しい欲しいとわれわれの心の移り変わるありさまは、実に掌を返すよりも激しいのである。天地万世の中のありとしあらゆる物柄事柄を見聞きして、あれは花である、これは紅葉であると言うことは、釈迦如来でも花は花、紅葉は紅葉、われわれが見たからといっても同じこと少しも変わりない。聖人も凡人もその美醜を感じる上においては些かも差別はない。けれどもいかんせんわれわれの心の分別は、同じものを見ても悲しく思うこともあれば嬉しく思う場合もある。気に入ったと言えば、もっと見たい、もっと聞きたいと貪り欲しがる。気に入らぬと言えば、ここにおいて癇癪を起こす。すなわちこうして追々と間違った道へ入り、一方は瞋恚《しんい》となり、一方は貪欲となって、おのれから招いてこの結構な世の中に、わずか五十年か七十年の一生を安らかに送ることができぬようになるのも、要するところはわれわれお互いの心の分別から起こるのである。

ゆえに何事をするにも自分の心の奥の良智仏性によって世に処していくのがわれわれの仕事である。自己の修養はこの良智を磨くにあるので、すなわち自分の心の濁りを取ってその明徳をますます明らかにし、八面玲瓏《れいろう》にならなければならぬ。わが心を正しくし自分の明徳を明らかにして曇りのない心に森羅万象を映して、そのためにわれまた汚《けが》されずして他に接していくことができれば、応用自在、与奪縦横の境界《きょうがい》である。されば他と調和して円転滑脱〔言動が自在で角立たず、物事を滞りなく処理していくさま〕であって、しかも自ら守るところがあるから、仰いで天に恥じず、俯して地に恥じざる精神であり、社会実生活において立派なる職務を尽くしていけるわけであろうと思うのである。

陰徳の感化力

達磨大師の無功徳

禅宗の初祖菩提達磨《ぼだいだるま》大師が初めて梁の武帝に迎えられた時分に、いろいろな問答商量《もんどうしょうりょう》〔質問と応答、およびそれらによって考え推し量ること〕がある。それは書物について諸君のすでにご承知のことであろうと思うが、かの学問において造詣深き歴史家に言わせると、いろいろこの事実問題について議論をする人もあるけれども、今はそういうことは必要ではない。それで梁の武帝は達磨大師にいかなることを最初に尋ねたかと言うと、〔記憶のままであるから言辞に少し相違があるかも知れませぬが〕

「朕《ちん》、寺を建て僧を度す、何の功徳がある」

と、こう問いを発した。これは梁の武帝に限らず誰でもそういうようなことを思っているかも知れないが、あらゆる寺を建てたり僧侶を度したり〔出家させたり〕、あるいは道路を開くとか橋梁を架するとか、あるいは孤児院を設けるとか慈善病院を造るとかいろいろあるが、私は仏教

で慈善と称することはあらゆることを今日までし遂げてきたが何の功徳がある、功徳というこ
とも広い字であろうが、ここではこの意味において〔文字どおりの意味において〕何らかの報酬
があるか、と言う。かくのごとき善いことをしたならば、これについて優ったところの報酬とい
うものがあろうと思うが、お前さんは何と思う、こういう問いであった。ところが達磨大師はい
かなることを言ったかと言うと、

「無功徳」

直訳すれば「功徳なし」である。梁の武帝は何かあるであろうと思っているのに対して無功徳、
ほとんど拍子木で鼻拭《か》むと言うか、愛想のない答えをせられたのは実に達磨大師の親々切々な
る答えであったのである。

われわれお互いは善いことをして何の報酬もないと言うと、一向道理に合わないようなこと
であろうけれども、しかしながら真の絶大の功徳はいつも無功徳、真の功あるものは元より無功
用である。無功用とは禅宗の言葉、功なき働きということで、少々専門的の話になったかも知れ
ませんが、要するに人知れず隠れて善きことをするというような人はまことに少ないのである。

今日世間では公徳とか私徳とかいうようなこともしばしば唱えられてあるけれども、その陰

徳というと、陽報というような字が一方に並ぶようである。この陰徳のことについては仏教なり、あるいは祖録《そろく》〔祖師が著したものやその言行の記録〕なり、何か難しいような言葉を出せば沢山にあるのであるが、一番親しみやすい言葉は、かの司馬温公〔司馬光〕が家訓として遺したという言葉である。すなわち、

積レ書貽二子孫一不二必読一。積レ金貽二子孫一、子孫不二必守一……

不レ如下積二陰徳於冥々之中一、為中子孫長久之計上。

〔書物をたくさん遺しても子孫が読むとはかぎらない。金を遺しても、子孫がきちんと使うだろうか……（私自身が）陰徳を積む、これこそが子孫の末ながい幸せにつながるだろう〕

とあって、実に名高い家訓である。

上流家庭と不良少年

公徳とか私徳とかいかにも立派のことであるけれども、同じことでありながら現代には陰徳ということはほとんど忘れられんとしているありさまである。まことに嘆かわしい次第ではあるまいか。こういうことは私どものような社会事情に暗い、いわゆる門外漢がいろいろなことを

言うと、どういう語弊がここに現れてくるかも知れぬけれども、世間はただ、いわば書物万能になってはおるまいか。言い換えるならば学問万能ということになっておるまいか。もちろん学問ということは尊重すべきものであるけれども、しかし万能ということは果たして得られるであろうかどうか。まして金銭万能というようなことも果たして金銭に万能力があるであろうか。

今日の学生に向かって君は何を理想としているかと言うと、成功ということを必ず口にする。成功ということは言うまでもない立派なことである。しかしだんだん話を進めていって、いかなる意味を捉えて成功としているかと言うと、たいていは功名富貴と言う。功名富貴はもちろん立派なことであるが、私は今少しこれを詮じ詰めてみると、ただ、ある地位を得、ある財産を作りたい。それも結構である、地位も財産ももちろん無くてはならぬ。けれども殆どその財産なり金銭なり、それ以上においては何物も無いようでは、その眼は盲《めし》いられてしまっているのである。われわれ人間にはただ金銭財産さえあれば良いということに至ってしまったならば、この社会はまことに何の潤沢もない乾燥のところのものに陥ってしまうであろうと思うのである。

いったい〔一般的に言って〕、われは〔自分が〕かくのごとき慈善、かくのごときの公徳を行ったならば一方に何らかの報酬的なものが来るであろう、何らかそれについてはわれに一つの快楽か一種の幸福が得られるものであろう、ということにとどまっている〔との思いにとどまってしまうものだ〕。それは普通の意味において当然のことであるが、それ以上において、隠れたるところにおいて善きことをするというようなことはまことに稀である。そういうことをする人は、尋ねてみるとほとんど寥々たる暁天の星のごとくで、しからば何ゆえにこの陰徳というような意味のことが行われぬかと言うと、それは真の道義的精神というものが充実しておらぬからである。もっとわれわれに言わしむるならば、真の宗教的真面目な考えというものがまことに乏しいとも言い得られるであろうと思うのである。

今日の世に地位もあり、いろいろな肩書きもあるその人々の最初は、身に寸鉄《すんてつ》〔小さい刃物・武器〕も帯びずというように裸一貫で苦心惨憺の結果、その栄誉を勝ち得たのである。ところがその温かい空気の中に生まれた人、その楽々とした家庭に育った子弟に至ると、ほとんどそういう観念も心得も何もないのである。そういうようなありさまであるから、せっかく親の遺してくれた金銭であっても、これを湯水のごとく詰まらぬことに乱費してしまう。またはせっかく親の遺してくれた書物でも、ほとんど反古同様にしてしまうということが沢山ある。

世にいわゆるの不良少年とかいう甚だ間違ったる子弟のできるのは、中家より以下の細民の家からは比較的に少ない。中家より以上の家庭において不良少年であるとか、甚だどうも悪化した子供とかいうものが比較的に多くできる。これはどうした所以《ゆえん》のものであるか。これは瓜を植えて瓜を得、茄子を植えて茄子を得るがごとき当然のことではあるまいか。すなわちその家庭の中に入ってみて、はたしてその家庭の中に真に父兄たちが道義的に子弟を導いておられるか。さらに言えば、真面目な敬虔な宗教的精神をもって一家庭一家族を率いていることはまことに少ない。むしろ地位のある人、高き階級にいる人の家庭ほど無宗教というようなのが多いように見うけられる次第である。

陰徳の他に及ぼす力

むかし、原の松陰寺の白隠《はくいん》禅師と言えば、そのころ誰知らぬなき偉い坊さんであった。そのちょうど門前に豆腐屋を渡世している親爺があったが、これがすこぶる白隠禅師帰依で、日常白隠禅師を見ること生き仏のように思っておったのである。ところが親爺にはたった一人の年頃の美しい娘がいた。箱入れ娘にもいつの間にか虫が食むようになって、娘の腹はだんだんと大きくなっていったので、娘も今はとても隠しきれず、親爺の糾問があまり厳しいので言葉に窮してし

まい、こう言ったら親の憤りが解けもしようかとの浅はかな考えから、

「白隠様のお種を宿したのです」

と言ったので、娘の親爺は憤るまいことか、今まで禅師を尊ぶことが盛んであっただけ今度は蔑むことも大変ひどい。娘が子供を産み落とすが早いか親爺はそれを懐《ふところ》にして松陰寺へ行って禅師へその子供を差しつけて、

「よくもお前さんはわしの娘を孕ました。さあ引き取ってくれ」

と言った。時に白隠和尚は、

「アア左様か」

と言われただけで一向気にもかけず、先方が怒ってきたそのままに受けて、その日から赤子を自分の懐にして始終貰い乳をし、托鉢に出られる時もやはり懐に抱いてしたということであるが、かれこれしているうちに子供はだんだんと成人していき、ついに誰言うとなくその娘の相手はどこの某《なにがし》という者であるということになった。そしてその当人が名乗り出てきたということである。

これは白隠和尚の慈悲深き心に陰ながら感化せられたのである。これすなわち陰徳の人を感

化する偉大なる力である。娘を孕ませたところのその当人は禅師に汚名を取らしめて自分は逃げてしまったものの、いかにもその罪を思って良心の呵責に堪えずして遂に名乗り出《い》でた。それで親爺は今更に禅師に対して面目もなく、

「実にお詫びのいたしようもございませぬ。この上はあなたの眼の前で命を取られましても少しもお恨み申さぬどころか、ありがたい幸せでござります」

と言うと、禅師はただ、

「左様か、分かったかい」

と言われただけであった、ということである。およそ禅と言うとむしろ狭くなるような心持ちになるのは、禅ではない。本当の宗教心とわれと同化した人は、こういうことがすべての言行の上に現れるものである。

禅的修養法

禅とは何ぞ

近来はしきりと禅という言葉が流行りだして禅に関するいろいろの会合やあるいは著述編集というものが至るところに見えるようであるが、一体この禅というはいかなるものであるかをこれからお話ししようと思う次第である。

元来禅宗には禅の三派といって、第一曹洞宗、第二臨済宗、第三黄檗《おうばく》宗と言う。ここに私は主に第一曹洞宗の禅によって禅をご紹介するのであるが、この禅について遡ってみるというと、釈尊の時代からこれが行われていたもので、支那の仏教の歴史などはほとんど禅の歴史とも言うべくして実に隆盛を極めたものである。これが時代の変遷に遇《あ》ってその発達上、種々の変化を来たしている。

それでこの曹洞宗という宗旨は一体どうしてできたかと申せば、釈尊の心印《しんいん》（以心伝心によって伝えられる悟り）を第一の弟子迦葉《かしょう》尊者が相続せられ、それがだんだんと継続せられて第二十八代目の菩提達磨《ぼだいだるま》という方に至った。この達磨大師が印度からはるばると支那に渡られて禅法を伝えられたのである。

ここにかの有名な曹渓慧能《そうけいえのう》という人があって八カ月間も黄檗山に米搗きをしていて訓練し遂に徹底大悟せられた。その〔慧能から数えて〕六代目に洞山《とうざん》大師という方があって禅を盛んにせられた。

その当時の禅はほとんど学問の中心ともなるべき勢いで、一度禅門に入ればどんな大政治家大教育家がやって来ようとも、一棒一喝を下すという悪辣な手段で禅機を訓練する〔説明や対話ではなく、厳しい言葉や動作によって修行者を指導・訓練する〕といった傾向であった。この中にあって独り洞山大師のみは、いたずらに棒喝を用いずして威儀作法を重んじて言行に綿密な注意をはらい、自分の生活のうえに真の悟りが現れねばならぬと言って、すなわち身をもって悟りを現ぜられたのである。しかしてその子孫は非常に栄えて遂にこの曹渓と洞山との流れを汲むというところから曹洞宗という宗名になったのである。

かように言ったとて決して曹洞宗が偉くて臨済宗が粗末であるというわけではない。各々その特色があっていずれも支那において隆盛を極めていったのである。

しからばこの禅の根源はどうして生じたかと言うと、あるとき大梵天〔仏教護持の神のひとり〕が金波羅華《こんぱらげ》という花を釈尊に献じたので、すなわち釈尊はその一枝の花をお手に持たれて霊鷲山《りょうじゅせん》に集まっている多くのお弟子に向かって何とも仰せられず、チラリとその花を拈《ひね》ってお見せなされた。どんなご説法があろうかと待ち焦がれていた八万の大衆は、差し置くことなしとあって〔無視すべきことでもないので、しかし〕誰あってその意味の分かった者がなく、みな茫然としてただ不思議なことをなされると思うだけのことであった。しかるにその中に摩訶迦葉《まかかしょう》一人だけが釈尊のお顔を見上げてにこっと笑った。これを拈華微笑《ねんげみしょう》と申して、いわゆる唯仏与仏《ゆいぶつよぶつ》〔仏と仏とのみが互いに知ることができる境地〕である。すなわち他人には絶えて合点のいかないところで、それを迦葉だけが合点なされたのである。すると釈尊はただちに、

われに正法眼蔵《しょうぼうげんぞう》涅槃妙心実相《じっそう》無相微妙《みみょう》の法門あり、摩訶迦葉に附属す。

と仰せになられた。これがすなわち仏法の極意に達し得たときの姿で、いわゆる教外《きょうげ》別伝の始まりで、仏法の大精神は言葉では述べられぬのである。しからば教外別伝とはどんな意味であるかということをここに研究してみねばならぬ。

すなわち教えというのは、釈尊五十年の間のすべてのお説法、ないし代々の祖師方がいろいろとお説き示し下されてあるところの各宗各派の教えであるが、しかるに今はその仏や祖師の教えのほかに別に伝うるところがある、というのがすなわち禅宗の他宗派と異なるところといえよう。すなわち、教えのほかに別に伝えるところの目的があるというのは、それは医学だの薬剤学だのという学問や療治の方法のほかに別に大切なる目的がある。それはほかのことではない壮健で無病息災なる人になるということである。しからばその仏祖のお説き示し下されてある経論《きょうろん》〔仏の教えを記した経と、経の注釈書である論〕も疏釈《しょしゃく》〔経・論に説明を加えて詳しく解釈したもの〕もまったく不要であるかと言うに、決してそういうわけではない。承陽《じょうよう》大師は、

三乗十二分教いずれが仏家の家業にあらざらんや。

と仰せされて、いかなる小乗権教《ごんきょう》の経論でも皆ことごとく大切であるぞとお示しなされてある。さりながらその最も大切なる目的をば忘れてしまって、その方法手段の議論だけやかましく言っているのをお叱りなされるために達磨《だるま》大師が教外別伝と言われたまでのことである。

さて話は前の拈華微笑に戻って、釈尊の心持ちと迦葉の心持ちとはすなわち以心伝心である。この以心伝心の仏法の大精神はとても言葉や筆では述べることができぬのである。

むかし車を作る名人のところへ、どうか秘伝を教えてくれと言って頼みに来た男があった。そこでその名人の言うよう、

「材料や寸法はみな自分の作る方法と少しも違わぬように教えるが、言葉ではどうしても述べられぬところの不伝の妙法がある」

と言ったようなもので、水の味わいは自ら飲んでみなければわからぬ。説明ができないのである。また今夜の月は結構であると言っても、眼の見えない人にはわからない。塙保己一《はなわほきいち》のような人でも月は見ることができない。

名月や 座頭の妻の 泣く夜かな

これは保己一の妻女の句で有名である。今日は月見であると言うので門人がご馳走を保己一の家へ持参して集まった。保己一は今晩の月はどうかと言うと、門人は鏡のような月ですと言ったが、保己一はただそうかと言って頭を下げて月を見たということである。

また、ある盲人の人に月というものを知らせようと思って、月はかようなものであると言って一枚の盆を示したところが、なるほど月はつるつるした滑らかなものであると言った。いやそうでない、形であると注意すると、なるほど月は縁《へり》があると言ったという。見えない人には何とし

ても月の実体を示すことはできぬのである。いわんや釈尊が間座禅を示されてお悟りになった妙味というものは実に言語を絶したものと言わねばならぬ。

三昧王三昧

釈尊のお悟りは実に宇宙の大精神に触れたのであって、ほとんど時間空間を超越している。これを古今に通じて誤らず中外に施して悖《もと》らず〔道理に背かない、反することがない〕である。

さてそういう精神はどこにあるかと言えば、どこにでもある。われわれのこの身体も、野に咲く一本の花も、谷を流れる水も、皆その大精神の現れである。釈尊は、その四十九年間説法した仏の教えの極意はこの一本の花によって、これを見よと言って拈《ねん》ぜられたのであるが、これには説明がつかないから、ほかの者には一向解らない。説明がついても本当にはわからない。

説明は一種の想像に過ぎないことになるのであって、すべて極處に至れば神妙不可思議で、親の心情はなぜ子供が可愛いのであるか、すなわち説明を離れた神秘なところがあるのである。月を見て、ああよい月であると言ってもそれはその情味を実験〔実際に経験〕した人でなければ良いところはわからない。釈尊はただこの大精神を示されるために一本の花を示されたのである。

そこで迦葉《かしょう》尊者がただにっこりと笑った。これが以心伝心の起源である。

ゆえに禅ということは形式からではなく、仏の精神を伝えるのであって、また仏教の極意であるとも言われる。すなわち仏教八万四千の法門というも結帰するところはただこの禅のほかはないのであって、各宗の祖師がたが念仏だの題目だの観法だのと色々修行の法をお示しなされたのも、結局ただこの禅のほかはないのである。ただしその宗派の都合によってあるいは念仏三昧と名づけたり、あるいは法華三昧と名づけたり色々と言葉は異なっても、その三昧ということがすなわちこの禅のことであって、禅は別名三昧王三昧《さんまいおうざんまい》とも言うのである。換言すれば三昧の中の王たる三昧であるということである。

しかるにこの禅ということを色々と考え違いする者があって、あるいは一種特別なる修行のことのように思ったり、またある一の目的を達するまでの方便のように思ったりする者もないではない。従ってその目的が低ければ自然に禅を低いことのように思う者もでき、またその目的を達した後には用のないことのように思う者もできて、ついに仏法の本意に背くようになるのである。

さて仏教の極意を丸出しに、すなわちその目的を達し得た姿だけのところと言えば再前の拈《ねん》華《げ》微笑《みしょう》ということになるのである。あるいは世の人の中には、禅宗と言えば浄土宗とか真宗とかいう諸宗と肩を並べて別に何ぞの目的でもあるもののように思っている人もあるかは知らぬが、決してそういうのではない。

たとえば真宗において、

一念発起　入正定聚《にゅうしょうじょうじゅ》

即得往生　住不退転

というのがすなわち親鸞上人や蓮如上人が辛苦艱難して広められたところの目的であるが、すなわちその殊隆の本願を、一向専念に頼む心の起こった時、頼む人の心と頼まれる仏の心とが一致冥合《みょうごう》して、一とも言われねば別とも言われない感応が起こったので、釈尊と迦葉との拈華微笑と少しも違いはない妙味が顕れたのである。これを真宗では機法一体と言うので、すなわち頼む衆生と頼まれる本願と一つになったと言うのである。その機法一体となったところを釈尊は、

正法眼蔵《しょうぼうげんぞう》涅槃妙心実相《じっそう》無相微妙《みみょう》の法門

と名づけてそれを迦葉に附属せられたというのであるから、真宗の宗意も約《つづ》まるところは、いわゆる教外《きょうげ》別伝の極意にほかならぬのである。それゆえに承陽《じょうよう》大師も、

われが伝うるところは仏法の総府であるによって禅宗だの曹洞宗だのと名づくべきものではない。

とまで仰せられたのである。

禅の真面目

そこでこの仏の精神を伝えたのが禅宗であるが、これを伝えるということは自己に向かって求めるのである。仏の心を伝えるということは、これを仏から貰うのではなく、自分の心に仏の心を味わうのである。人々ことごとく仏性あり、人々ことごとく光明ありて、仏の心は自己の内にあるのである。

むかし石屋《いしや》禅師といって、このお方はあるいは「真果」とも申されたが、薩摩藩主の帰依僧である。この方、北国へ来て道元禅師のお弟子になり、武生で涅槃の境に入らせられたのであるが、かつて師の内命を受けて南北朝の融和を計ったところの国家に対する大勲功者である。これはその兄弟弟子に天鷹和尚というのがあり、この二人が南北両朝に別れて、宗教の方面から合同を計ったのである。このことは鹿児島外史に出ているが、ほかの書物には出ていない。いったい日本の歴史はお寺さん嫌いが編集されたものであるから正史には載っていないのである。

この石屋禅師が南北両朝の融和を計ったときに、時の朝廷において、
何ぞ妄雲を払って真如《しんにょ》の明月を見ざる。

と突込んでいる。国家の上から見れば実際迷いであり我見の雲である。これを払って国体の真如の月を現せよという意味である。

また石屋禅師があるとき周防の国に行くと、若い男と道連れになった。だんだん話し合っているうちにその男が親切にしてくれて自分の家へ泊まれと言う。禅師は言われるがままにその家に泊まることになったが、若い男というのはじつは盗賊であって、禅師の懐に目星をつけていたのである。夜中になると一刀を携えて禅師の部屋へ忍び込んできた。ところが禅師は座禅をして眠っているのであるから、微かな物音にもすぐに眼が覚めた。禅師すなわち、

「誰じゃ」

と優しい声で呼んだのであったが、その男の耳には百雷が一時に落ちかかったような響きを与えたのである。人格の権威というものは恐ろしいもので、たちまち人を感服するところの力をもっている。男は部屋の入口のところへ腰をぬかしてしまった。そして、

「ごめんなさい」
とただ一言。禅師は見ると主人であるから、
「何じゃ、夜が明けたのか」
と言うと、「まだ夜中である」と答える。これからの二人の問答が面白いのである。
禅「しからば何しに参ったのじゃ」
盗「イヤ、あなたは並々のお方ではないと思いましたが剣道の達人ですか、それとも羅漢様ですか」
禅「なぜそのようなことを尋ねるのじゃ、そしてお前はいったい何者じゃ」
盗「私は泥棒です」
禅「それじゃ、わしを泊めたのは親切じゃなかったのか、いったい今までに何度泥棒を働いたのだ」
盗「数知れませぬから覚えていません」
禅「では泥棒を一度やって幾日くらい楽しめるのだ」
盗「それは盗った高《たか》によりますが永くは楽しめませぬ、それゆえにまた悪いことをするので

す」

禅「それでは、なんじは鼠賊《そぞく》〔こそどろ〕という類じゃな、鼠が嚙るようなものだ、しかし決して悪い商売でもないからもっと大きくやれ」

盗「それではあなたも泥棒のご経験がありますか」

禅「イヤ、ないでもない」

盗「それでは親分ですな、何遍ぐらいおやりになりました」

禅師は笑って「ただ一遍じゃ」

盗「それでご不自由はありませぬか」

禅「決して不自由はしない、いくら使っても無くならないという宝をわしは盗んでいるわい」

盗「そんな宝はどこにありますか」

禅「貴様は知らないのか、ごく手近な所にあるじゃないか」

盗「一向に存じません、どうか教えてください」

禅「しからば教えてやろうが、しかしなかなか骨が折れるぞ」

と禅師は態度を改めて、じっと主人の顔を睨みつけた。主人が何となく恐ろしくなって後ずさ

りをしているところを突如として胸ぐらをとって、
「這裡《しゃり》に在り」
と一喝した。使いきれぬほどの天下の宝はここにあるぞ、かくのごとき絶大無限の宝蔵を持ちながら鼠賊に甘んじているとは馬鹿な奴だと叱りつけられて、
盗「はあ、ありがとうございます」と言うので、
禅「それでは貴様はわかったか」
盗「わかりませぬが、どうやらありがたいように思われます」と言った。
それで主人の泥棒はその晩からさっそく禅師のお弟子となり十五年間修行を積んで立派な善《ぜん》智識《ちしき》〔正法を説いて人々を仏道へ導く賢人〕となったということである。すなわちこの本心に立ち返って、この精神上の働きを叩き出すというのが実に禅宗の悟りなのである。しかし教えて先ほども言った通り禅宗のみに限らない、各宗の精神は皆ここにあるのである。いやしくも仏教と名のつく宗旨は、他力も自力もことごとくその結局するところはこの禅の立場に至らねばならぬのである。

行もまた禅 座もまた禅

しかしながらこう言ったならば、またこれに反対して、いずれの宗旨でも皆わが宗が仏法の総府である、結局するところはわが宗の安心に到達したのが仏法の極意で、決して禅宗のみに限ったことではない、と言う人もあるかも知れぬ。それも一応はもっとものことであるけれども、どうも左様は〔そのとおりとは〕言えないわけがある。

なぜかと言うに、他の宗派ではみな必ずそれぞれの依経《えきょう》〔教えの拠りどころとする経〕というものが定まっている。たとえば天台宗や日蓮宗は必ず『法華経』とか、浄土宗や真宗は必ず『無量寿経』とかいう決して動かすことのできない定まりがあり、八万四千の法門の中からある一つの法門を選び、五千四十八巻の経文の中からある一部の経文を取り、その他の経文はすべて取らないということになっている。それで釈尊の総本家相続というわけにはいかず、ある一部分の支店出見世ということになるのである。

しかるにこの達磨《だるま》門下においては、最初からある一部の経文に依るとか、ある一つの法門を選ぶとかいうのではない。前にも承陽《じょうよう》大師のお言葉を引いておいた通り、

三乗十二分教いずれか仏教の家業にあらざらんや。

とあって、小乗でも権教《ごんきょう》〔大乗の教えに導き入れるため説かれた、人々の受けいれやすい教え〕でも経論《きょうろん》をみな捨てたりはしない。では達磨宗は何経に依るかと言うと、『法華経』でもなく『無量寿経』でもなく、一切経五千四十八巻皆ことごとく拠りどころとするのである。

すなわち念仏でも題目でも真言陀羅尼《だらに》〔仏教で用いられる呪文（マントラ）〕でも、八万四千の法門いずれもみな選ぶところはない。ただその目的とするところのいわゆる涅槃妙心を獲得することができさえすればそれで良いのである。前で言った本家と支店との喩えで見れば、支店の商売には酒屋もあれば菓子屋もあり、銀行もあれば呉服店もあるとしても、本家の方では純益金さえ多く上がればそれでよいのであって、決して何の商売でなければならないという分け隔てはないようなものである。

しからば仏教の各宗が一日も欠けてならぬものはこの三昧であらねばならぬ。しかしてその三昧を得るの方法としては、念仏三昧もあれば法華三昧もあり、その他いろいろの名は異なるけれども、その実は座禅をもって根本とするのが三世諸仏の正式である。

たとえば阿弥陀如来の五劫《ごこう》〔計り知れないほどの長い時間〕の思惟ということも、釈迦如来の六年修行ということも、ただこの座禅のほかはない。しかしそれもただ必ず結跏趺坐《けっかふざ》とか半跏《はんか》趺

坐とか窮屈に脚を曲げるだけが座禅ではない。要するところは禅の一字にあるのである。すなわち永嘉《ようか》大師は

行《ぎょう》もまた禅、座もまた禅、語黙動静体安然。

と言われ、承陽大師は

豈《あ》に座臥に拘わらんや。

と仰せられてある。すなわち歩くのも禅であれば寝るのも禅である。しゃべるのも禅であれば黙っているのも禅である。運動、静止、禅にあらざるものはない。いわんや念仏申すのも、題目唱えるのも、陀羅尼を誦するのも、皆ことごとく禅であるは言うまでもない。しかしながらここに注意を要することがある。孔子も言われるごとく、

楽《がく》と言い、楽と言う、鐘鼓を言わんや。

すなわち、音楽と言ったからとても、鐘を鳴らしたり鼓を打ったりするのみが音楽ではない、雨竹風松《うちくふうしょう》、虫声鳥語《ちゅうせいちょうご》、みな天然の音楽には相違ないけれども、人間における正式の音楽と言えば、五音六律が調子を整えてこそはじめて音楽らしいというものである。今また禅もその通りで、すべてが禅には相違はないけれども、座をもって禅の正行《しょうぎょう》〔仏教の実践・修行としての正しい

行い」とするのが三世諸仏の定まれる儀式である。ゆえに仏法の総本家においては座禅をもって表看板として、しかしてその他の諸善万行、皆ことごとく洩らさないようにするのである。ここにおいてか禅は仏教の一部でなく、その全体であるということが言い得られるのである。

なお仏教では三学ということを説いている。三学とは戒《かい》、定《じょう》、慧《え》の三つである。

これを説明すれば、戒とは道徳で、これには消極積極の二方面がある。授戒の戒は消極的方面で禁圧主義の戒である。すなわち不義をするな、盗みを働くな、殺生をするな、嘘を言うな、酒のために心を奪われるな、こういう戒がこの方面に属するものである。それから積極的の方は非常なる勇を鼓して道徳的理想に向かって驀進し実行していくところの戒である。これを止作《しさ》の二門と言っている。すなわち悪は作《な》すなかれ、善は奉行せよ、これなくては国民教化の大任は全うすることができないのである。悪いことをすればどんな結果に陥るか、善いことをすればどんな報いを得られるか、ということを示し説かれたのが戒である。

次に定学というのは、ひたすら禅三昧に入ってあらゆる煩悩を根治していくという学問である。

慧学は、智我を明らかにして迷いの根本たる差別《しゃべつ》を超越し、根本的にわれわれの本体は何であるかを極めることである。差別智は、現象界に下って変幻出没、底止（行きつくところまで行って止まること）するを知らないところの智識を極めることで、今日の政治 教育 経済などの学問は皆これであるが、さらに根本を極めて差別界に応用するところの智慧の本体を磨くことがすなわち慧学である。

しかしてこの三学を総合したものがすなわち禅であるから、畢竟《ひっきょう》仏教の全体であるということになるのである。であるとすれば、これを修養するにはどうするかということを以下お話ししようと思うのである。

禅的修養法

元来、禅という言葉は天竺の「禅那《ぜんな》」という言葉を略したもので、六波羅蜜《ろくはらみつ》（悟りに至るための六つの修行）の中の禅那波羅蜜から起こったのであろうけれども、今この達磨《だるま》門下のことを禅宗と名づけたのはすなわち門外の他人である。支那の唐朝の頃に初めて高僧伝を造った人が多くの伝を書く中に、習禅という一つの部門を立てて、いわゆる六波羅蜜の中の禅那を専らに勤めた人達の伝を書いたその中へ達磨大師を入れたために、ついに達磨門下のことを他宗から禅宗と称せられるようになったのである。

しかるに達磨大師の教えられたのは前にくどくど申した通り、習禅ということではないのであり、すでに宋朝の頃にその弁駁を書いておかれた高僧もある。承陽《じょうよう》大師は『普勧坐禅儀《ふかんざぜんぎ》』にいわゆる、

座禅は習禅にあらず、ただこれ安楽の法門なり。菩提を窮尽するの修証なり。


とも仰せられてある。すなわち達磨門下では自ら禅宗と名乗ったのではなく、他宗から誤って禅宗と呼ばれたのである。ゆえにその差別のあるところをよく心得ていなければならぬ。

そこで禅的修養とはいかなることであるかと言うに、第一は大解脱を得ることである。これは定学《じょうがく》に属するもので、一筋に実力を養い精神を調べ、いかなる外敵の誘惑にも打ち勝ち、煩悶を忘れ、内外無数の束縛を脱するというのが大解脱である。

今日のお互いはあるいは名利《みょうり》のために囚われ、無常に縛られて、ただ一人煩悶を免れる者がない。煩悶というようなものは世が進めば進むに従って増えるものである。世の進歩は人智の発達であって、従って無数の希望が起こり、これが容易に貫徹することができず、かえって種々の圧迫を受けて事ごとに挫折するところから煩悶に陥る。この希望が大きいだけそれだけ煩悶も大

きくなる。しかしこれはやむを得ない現象で、憎むべきことではないのである。国家社会の発達のためには煩悶も必要である。

しかしこの煩悶の囚われとなって精神に異常を呈して遂には悲惨な状態に陥ることが世の人に多いのである。われわれは常にこの煩悶から解脱をして大理想に向かって大活動をしなければならぬ。いかなる境遇にあっても一切を解脱していなければならぬのである。しかもその解脱たるや小解脱では問題にはならぬ。大解脱でなければならぬのである。（「超越の妙味」59頁～参照）

すなわち承陽大師は身心脱落と仰せられてある。身心脱落とは、これを極めて通俗に申せば、身も心もすべて束縛を離れて自由自在になったということである。なぜかと言うにわれわれ一切衆生は、五尺の身体五十年の生命と限りある生活であるから、何事も皆それに束縛されて自由を得られない。しかるに今大解脱を得て広大無辺にして限りなき仏心と一つになってみれば、限りある五尺のままに法界に充満せる法性法身と一つになり、五十年の生命のままに三世貫通の寿命無量と一つになったのであるから、従前の五尺、五十年に束縛されるということがなくなるのである。

さてこの立場に至り得た上にはさらに却来退歩と元へ戻って、その自由自在の働きを日常の生活の上に顕して、朝な夕なのすること為すことが皆ことごとく広大無辺の仏心の活動となる。そのありさまを、承陽大師は身心脱落を逆さにして、さらに脱落心身と仰せられた。すなわち喫茶喫飯そのままに仏心の働きであるによって、十方法界、何もかもすべて仏心ならざるものは無いことになるのである。

さりながら〔しかしながら〕ここに大智見を開くということを忘れてはならぬ。大智見とは宇宙の根本に触れるということ、すなわち枝葉の智識よりもまず根底に合致するというのがこれ大智見である。この高い智見を開き、しかもここから差別界現象界に下って活動するのである。すなわち百尺竿頭一歩を進め〔努力・工夫をした上でさらに尽力し〕、大死一番〔いちど死んだつもりになって〕差別界現象界を飛び越えてここに大智見を開き、死中活を得て再び差別界に働くという大信念と、さらに大慈悲を発せねばならぬ。

もしこの内において解脱を重く説いて智見慈悲をおろそかにすれば、いたずらに高い所にとどまることになる。こうなると智も相当に使うことができなくなり、慈悲は愚痴となり、執着に陥る。ゆえに禅的修養は、大解脱を得、大智見を開き、大慈悲を発するに在るので、もしこの一を欠く時はたちまち禅病に陥るのであるから、この三徳兼備ということを標準として修養を積むが肝要である。これ真の禅的修養法である。

日本の精華

国民精神と隆亡

個人には個人的な特長があるように、各国民にはおのおの異なった性情特質があることは言を俟《ま》たない〔言うまでもない〕ことである。独逸《ドイツ》人の研究的進取的なる国民性、米国民の物質的現実主義なる、仏国人の自由的なる、英国人の保守的着実なる気風があるというように、皆その国民性は異にしている。

同じく人である。それがどうしてかく異なりたる国民性を有するに至ったのであるか。それは各歴史を異にしているということが第一の原因である。次には人文の相違であり、また風土の相違である。すなわち換言せば、遺伝と教育と境遇の影響を受けて、そこに各独特なる国民的性情がつくられるのである。

「国家には国家の権威がある。そしてその内に生存する人民の生命、財産、自由を保護し、そのためには法律あり警察あり軍備等があって、内乱を静め、外敵に当たり、また個人としては人としての道を励み、修養を進め、向上発展し、天下に起《た》って完全なる人間として活動すればそれでよいではないか。とくに国民としての精神を論ずる必要はない」と言う者がある。しかしわれわれの文華〔文明が華やかなこと〕がいまだ進まず国家的生活を営むに至っておらないならばそれでよいが、すでに国家というものが組織せられている以上、その国家を永久に存続せしめ発展せしむるには、どうしても国家の心的基《もとい》であるところの国民精神を振興せしめなければならない。

各国においてこれを見るに、国民精神の振興せる国は隆昌となり、その精神が萎縮した国は亡びていくことは、すでに滅亡した国を見て知ることができる。

敵愾心と団結

維新以来のわが国の歴史を考えてみると、戦争を経るごとに国家は非常に発達してきていることは事実である。維新以来十年の間というものは、まことに混沌たるものであった。しかし不幸なる内乱によりて、維新の元勲〔国家に大きな功績があった者〕中の元勲たる西郷大将をはじめ、いかにも無惨なる最期を遂げられたことであるが、これらの血によって維新の大業も確実なる基礎が定められたような次第である。それから種々なことがあったが、わが国威を発揮することのできた機会は、かの日清戦争である。かの戦争の時は国民の気力は実に挙国一致であった。わが国として外国を敵として戦ったことは、まず神功《じんぐう》皇后の三韓征伐、聖徳太子の新羅征伐、太閤秀吉の朝鮮征伐等であったが、これらは大書〔誇張して書くこと〕すべきほどのことではなかった。かの支那という大国を相手として戦いをしたということは実に古今未曽有のことであった。非常に国民は敵愾心が高まって、一方から見るといささか滑稽のように興奮していた。

紀州の熊野に徐福《じょふく》という人の墓がある。秦の始皇帝が不老不死の薬を求めようとして、ここを去る東の方の海に蓬莱山という山がある、そこへ行けば不老不死の薬がある、というので、徐福に五百人の従者をしたがわせてその薬を求めさせた。徐福が探り当てたのが、わが日本らしい。徐福はその薬を求めることができず、帰国する機会を失って、紀州の熊野で死亡してしまった。熊野の新宮の町外れに小さな石塔がある。それが徐福の墓だということである。

ところが戦争前まではその墓に参詣する人が非常に多く、香華《こうげ》〔仏前に供える花と香〕など常に絶えることがなかった。また面白いことには、その墓の後ろに一本の木がある、その木の皮を剝いでそれを煎じて呑むと長生きするという迷信から、随分皮を取って帰る人が多かったそうである。

徐福は支那人である。日清戦争が始まると、一人も参詣する者はないようになった。したがって香華も絶えたが、木の皮も剥がれなくなった。徐福が来たというのは二千年も前のことである。またそれも歴史上の事実か否か不明である。それに対してさえ、かくのごとき敵愾心を起こすほどであった。

とにかく国民一般の強い敵愾心、挙国一致の精神、これが支那を征服して、連戦連勝の大勝利を得た因となっているのである。支那には李鴻章《りこうしょう》あり、丁汝昌《ていじょしょう》あり、国はわが国の四十倍もあり、国民は四億万人、そのうえ強国なる独逸《ドイツ》が後ろ押しをしている。これを見ても日清戦争がいかに困難であったかが解ることである。

この戦争の疲労を回復しようと国民が一心不乱に努力していた十年に、わが国より六十倍もある露国は、わが国を取るために種々なる名義をつくって満州に兵備を整頓した。わが国よりの抗議もその功を奏せず、ついに開戦となった。

いろはのいの字も読めない八十のお婆さんも、「号外号外」という声が聞こえれば巾着の銭を出して、満州の戦争、遼東半島のありさまはこんな風であると聞いて喜んでいるばかりでなく、ありもせぬ歯を食いしめて憤慨したというありさまである。頑是ない少年少女までが国を担って戦っているような意気込みで、遊ぶにも大元気であった。軍人はどんどん出征する。農夫が三本鍬で田を耕している、ふと見れば汽車が通る。かの汽車の中は御国のために死ぬべく満州の野に進む兵隊さんであると、感謝の念があふれて三本鍬を振り上げて万歳を唱えて元気をつけて送る。全国民の騒ぎは、ひとかたならぬ〔普通ではない〕ありさまであった。そして敵愾心は絶頂に達していた。

この敵愾心が日本の魂となって、歴史上から見ても兵力から見ても勝てるはずのない日本が、神の恵みと陛下の御威稜《みいつ》〔威光〕は勿論のことであるが、忠勇義烈の国民の発奮はまた偉大なる連戦連勝の因となっているのである。

この勝利については、日本人はさほどにも思っておらないが、外国民の眼から見ると、これは物質的勝利ではない、いわゆる精神的における勝利である、と言われている。

国民精神の根底

ここにおいて日本の学者は、武士道の研究ということが大切で国民精神を成しているということを自覚して、これを研究するようになった。

そもそもこの国民精神所由《しょゆう》〔由来するところ〕は何処にあるであろうか。わが国開闢以来、厳然として存するもので、けっして舶来でないことは言うまでもない。

その国民精神の根底とするところは、第一に潔白武勇の性に富んでおり、そして優しく美しい情けのあることである。この清潔主義は肉体上 精神上に大なる特色を有している。また武勇もあるが、勇武だけではなく情けが伴わなければならない、情けから出た勇気でなくてはならぬ。日本国民はむかしより武勇をもって称せられている。今日に至ってますます世界に発揮せられているが、その武勇に一点の残酷ということがない。支那やその他西洋の歴史を見るも、外国との戦いにおいても、また内乱においても、党派の争いにも随分残酷なことが多くある。日本には決して残酷ということがない。敵に対しても優しいのが武士の情けとして昔から尊ばれている。敵に優しいという国民精神がすなわち大和魂の本源であると言ってもよい。

いかなる強者に対しても道理のない圧迫には猛然として反抗する。人情に外れたことに対してはあくまでも争う。そこに厳然たる操守〔信念を守り心変わりしないこと〕があり、強烈なる意気があるのである。すなわち情と義、仁と勇、この二方面を備えているのが日本人の理想であり、大和魂の眼目である。

また次には愛国崇祖の性情である。忠君愛国はわが国民的性情の最も純美とも言うべきところである。宇内《うだい》〔この国・世界〕にのみある思想である。外国にももちろん愛国の観念はあるが、日本国民におけるような国家思想は到底見ることができない。これは日本国生成の特長とも言うべきである。国のためには義を泰山《たいざん》〔高い山〕の重きにおき、命を鴻毛《こうもう》〔おおとりの羽毛〕の軽きにも比して、よく国を守るのである。大君に対し奉りては、

うみゆかば　水漬《づ》く屍《かばね》
やまゆかば　草むす屍
大君の　辺《へ》にこそ死なめ
野戸《のど》には死なじ

の忠誠をもってし、さらに皇室の祖宗に対しては崇敬の意を捧げ奉り、また一家の祖先を崇拝する観念は、国と家との歴史を尊く思うようになり、これによって愛国の性情はますます強固になるのである。

しかしてこの愛国心、大和魂なるものを研究すると、古代より歴史上にその証拠が残っている。それは種々に変化しているが、源平の頃から後に至っていわゆる武門武士というものができた。

その間に種々な戦争があって、いろいろな歴史を伝えているが、この間に仁義道徳の道を鼓吹〔盛んに唱えて広く共感を得ようとすること〕せられて、戦争が不義非道に陥らないように、その精神を戦争の中に注いできたということは明らかである。武士が戦場に臨んで命を捨てて働くという精神は確かに仏教から来たのである、ということが言える。そう考えてみると歴史に着々証拠があることである。

今日の日本の武士道は二百年や三百年のものではない。少なくとも、今のいわゆる武士道と名づけられたものは七、八百年このかた、ことに仏教の力、禅宗の力が加わっているのであるということは、一般の学者が異議はないと認めていることである。

原始的起元

醍醐天皇の御代に菅丞相《かんじょうしょう》〔菅原道真〕が遣唐使を命ぜられた。ご承知のごとく奈良朝以前から日本は支那のほとんど属国同様な取り扱いを受けておった。国民の智識という点から言えば、確かに支那には勝てなかった。すべての日本の文物とか学術等は支那から伝えられたものであった。日本が支那に対して仕えるという思想から、大宋とか、大唐とか言って尊敬し、日本のことは大日本とは言わなかった。

はなはだしきに至っては元までを大元と言った。支那を本国のように思っていたのである。日本は謙遜していたのか、自ら謹んでいたのか分からない。したがって日本から毎年遣唐使を送っていた、すなわち大唐国に向かって宝物を贈るのである。日本からは贈ると言うが、支那の書物には、日本が日本の国産を大唐の天子、あるいは大宋の天子に貢ぎ来たったと言っている。

ちょうど琉球の者が薩摩の島津公に仕えたくらいの程度であったらしい。しかるにその遣唐使を命ぜられた菅丞相は非常に憤慨した。

「もはや支那に頭を下げに行く必要はない。ご免こうむる」

と言って辞退した。それからは遣唐使が廃せられたのである。

その時に菅丞相が、和魂漢才〔日本古来の精神を失わずに中国の学問を活用すべき〕ということを言った。漢は支那全体を指したのである。従前では支那から学術文芸を伝えてきたのであるが、それは畢竟《ひっきょう》するにわが国の実力を養うための手段であったのである。

日本の魂というものは、神代のいにしえから、いわゆる天壌無窮〔天地とともに永遠に続くもの〕で、決して動かすべきものでない。すなわち和魂、日本の魂を運転する〔巡らし回す〕上において、幾分の助けとして支那の学問をするのである。しかし今となれば日本はその学ぶべきところは学んでしまった、もはや彼れ〔支那〕から学ぶところはない。もっとも彼れ〔かの人〕菅丞相はその文章においても詩作においても支那人以上であった。この和魂ということは、今で言う大和魂である。この言葉は以前にもあったろうが、文字として伝えられたのはこれが初めてである。

この時にはいまだ武士道という名はなかった。これは武士に限ったものではなく一般庶民になくてはならないものであるが、これを武士に限ったもののように言われたのは後のことである。

足利時代に武道という字がある。今川了俊《りょうしゅん》が書いた今川状というのに「武道の勝利を得ざること」とある。了俊の武道というのは戦争の道、すなわち兵法という意味であって、武士道というのではないが、大和魂ということがこの間に流れていることは明らかである。

大なる刺激と自覚

徳川家康公が天下を平定して、干戈《かんか》〔戦争〕の跡を絶つに至った。ところが星遷《うつ》って五代将軍の時代になると、世の中はいよいよ太平無事となるばかりで血を見るようなことは更になくなった。弓は袋に、刀は鞘に、平穏無事の世となり、祖先が千軍万馬の間を往来して苦戦した功によって大禄を食む殿様達も武芸のことなぞ夢にも語らず、ただ覚えるのは贅沢ばかりで、常に遊芸のみにふけって武骨の精神は更にないほど平穏無事であった。

この時に当たって霹靂一声《へきれきいっせい》〔突然鳴りひびく雷のように〕、天下諸侯の耳目を驚かすことが突発した。それは、かの名高い大石良雄等の壮挙である。御勅使《おちょくし》御饗応《ごきょうおう》の役〔天皇・上皇などから派遣された使者を接待する役職〕を申し付けられた播州赤穂の城主なる浅野内匠頭が、わずかの癇癪から吉良上野介に刃傷に及び、ついに五万三千石を召し上げられてその身は切腹を仰せつけられた。

しかるにその臣下の大石良雄をはじめとして忠勇の士四十七人の同志はいろいろなる苦心を経て、ついに翌年の十二月十四日、亡君の相手であった吉良上野介の首を挙げて高輪泉岳寺の亡君の墓前に捧げて、その目的は貫徹された。

太平無事に慣れた諸侯の驚きは一通りではなかった。聞き伝えて、いずれも感激の涙を流したということである。ここにおいて諸大名も大いに覚醒するところがあると同時に不安を感ずるようになった。

それは何故かと言うに、もし一朝わが家にもかくのごとき一大事変が起こった時に、はたして大石良雄のような忠義な者があって、あれほどのことをしてくれるであろうか、いささか覚束《おぼつか》ないことである。これは他所《よそ》事にすべきではない、急務として大石良雄のような武士を養成しなければならない、それにはまず自身が大いに武を磨く必要があるというような考えが諸大名の間に起こったのである。また五代将軍としても同様であった。よく幕府の危急存亡〔生き残るか亡びるかの瀬戸際〕を救うことのできる、真の勇者、真に柱石となって天下を助ける者があるであろうか。

ここにおいて家康公以来忘れられていた武士道の精神がさらに呼び起こされてきたのである。それと同時に学者たる荻生徂徠とか室鳩巣《むろきゅうそう》とか新井白石のような人が、この時代の要求に応じて種々なる書物を著して論じた結果、世間の耳目を引き、また深く国民の精神に刻まれたのである。その思想の流れは今日に及んでより深刻に〔深く重々しく〕忠君愛国となり、国民の精神となっているのである。

爆烈弾と覚悟

わが国民……将来〔これから先〕の優等国民たる日本人は、燃ゆるがごとき愛国心と堅実尚武の気性と、端直誠実の性格と、鋭敏明案の才智とをますます発揚していかなければならない。そして国家の大事変に処しても死を恐れず、事に当たって心を動かさないような精神をますます鍛えていかなければならない。

よほど修養を積まないと、いかに武士道的の国民精神であるとはいえ、いざとなると徹底しないこととなるのである。

先帝陛下が明治十四年一月四日、ご承知のごとく薩摩の戦争が済んで四年たち、日清戦争が始まる十四年以前で、実に世は太平無事の時〔正しくは明治十五（一八八二）年一月四日、西南戦争（一八七七年）の五年後、日清戦争（一八九四〜九五年）が始まる一二年前に、後述の軍人勅諭が発布された〕、その時に当たって軍人に賜った五箇条の勅諭の中に、

義は山岳よりも重く、死は鴻毛《こうもう》よりも軽しと覚悟せよ。

と仰せられた。事変に処する覚悟をお示しになっている。この覚悟ということは仏教から出た言葉であるが、今では一般に使われている。すなわち、わずかのことの上においても覚悟と言う

のであるが、しかし覚悟ということは、その場合に臨んでするのは覚悟ではない。それは拠所《よんどころ》ない〔やむをえない〕ということである。たとえば戦争で爆烈弾がバラバラと散って来た場合に、ちょっと待ってくれ覚悟をするから、と言うようなもの。向こうから敵が来て、きみ覚悟はよいか、と覚悟の催促なぞしない。芝居なぞで親が娘の首を切るときに覚悟を催促したり、刀を振り上げたり下げたりしているのとは訳が違う。戦争で鉄砲玉が来れば傷つくか死ぬかに決まっている。そこで天皇陛下は、万一のときには厭でもあろうが死んでくれと仰せられたのではない、平生からその覚悟をしておれと宣《のたま》われたのである。

しからば、いかようなことが起こっても決して狼狽《うろた》えないという覚悟はどうしたら得られるか。どうも死ぬということは、ちょっとできない試験〔ためし調べてみること〕である。しからばその試験はどんなふうに誰がするか。

武道と増上録

前にも述べたが、源平以来、今の世のいわゆる武士道と名づけられるものができる際に当たっては、大いに仏教、ことに禅宗の力が影響している。もちろん神道においても、また儒教においいても武士道に力を与えているが、その大部分の思想は仏教の力によって成立したものである。いかなる逆境に処しても心を動かさぬ、どんな事件にいかなる場所で出合っても、またいかなる悲惨な最期を遂げる際に当たっても、楽々と笑って死に就くという決心はどうしてつくか。

これは仏教専門の言葉では生死を超越すると言うが、畢竟《ひっきょう》するところ、生きるとか死ぬるということが気にかからぬ、ということである。誰でも死ぬるということは好まない、生きているということは喜びに違いない。しかしその生死のためにに支配されていては、事変にあって狼狽しなければならない。

奥州仙台の藩主、伊達中納言政宗……彼は独眼竜と世人から謳歌され、さすがの太閤秀吉も彼には注意したというほどの豪傑であった。その当時、奥州は郡として五十四郡、そのうちの二十四郡、今日で言えば宮城県と、岩手県の半分、福島県の半分で、それが政宗の領分であった。ところが当時米沢にあった伊達家代々の菩提所である輪王寺という寺が、米沢から仙台に移った。それと同時に前の住職が亡くなったので後の住職を選ばなければならぬこととなった。それについては自分の師匠として足るべき人を選んで住職としたいと考えた。処々探した結果、田舎のごく貧寺の住職である鱗庵《りんあん》という僧がよいということに一決した。

政宗がその鱗庵に初対面ということになった。秀吉でさえ、政宗の容貌態度を見て注意したというほどの彼に、城中の大広間で初めて会うというのである。別して〔とりわけ〕仙台の城中は広大で、各座敷には二重にも三重にも襖が立ってある。鱗庵は誰一人もおらぬ廊下を通ってだんだん案内されて、いよいよここであろうと思う座敷に入った。襖を開けてみると誰もいない。その次の襖を開けてみても誰もおらぬ。いよいよ鱗庵が接見するという座敷に行って襖を開けてヒョッと入ると、その瞬間に政宗は太刀を引き抜いて鱗庵和尚の鼻先へ突き出して、

剣刃上一句作麼生

この剣の上において一句言ってみろ、「作麼生《そもさん》」というのは「どうじゃ」といったような意味である。鱗庵が入るや鼻先に突然刀を突き出しての危険きわまる挨拶である。とにかく向こうは六十万石の殿様である。それに初めて拝謁するのであるから、いい加減な和尚ならば震え上がるほどである。しかるに突然刀を引き抜いて鼻の先に突きつけて、こういう挨拶であったがさすがは鱗庵和尚、こういうことには少しも恐れない。その瞬間に刀の下をくぐって政宗の腰の辺をグイとふんづかまえた。

そのときに政宗は刀を鱗庵の頭の上に突き出したまま、危ないと言った。これはただ話として

聞くから左程でもないが、実際に当たったらどんなものだろう。とにかくこの国においては無上の権威を持っている六十四万石の太守である。秀吉が注意したほどの厄介な人物、その人物が世のあらゆる経験を経てきた六十時代のことである。その時に試験的にするのであるから容易なことではない。そこへ田舎の坊主が出かけて来たのであるから、大抵ならば腰を抜かすはずである。しかるに更に政宗が危ないと言う途端に、政宗を突き飛ばして、

此俗漢

と罵った。何だ、人の鼻先へ刀を突然に出しながら腰を押さえられ危ないと言う馬鹿がどこにあるか、というほどの大見識である。とにかく偉い和尚である。そこで政宗がこの鱗庵こそ自分の師とするに足るべき人だと言って、菩提寺の住職に請待《しょうたい》したのである。

かくのごとく弟子となる人も本気である。だから、すべてのことの上において、実際の働きが現れてくるのである。それがいったん緩急ある場合〔ひとたび緊急事態が起きた場合〕においては、忠君愛国の実を全うすることとなり、また平常の上においては朝夕の行いの上において、真に心胆を練る〔胆を練る＝物事に動じないよう胆力を養う〕ということとなるのである。

すなわち日本武士道と禅との関係について終わりに少し述べた次第である。

大正四年十一月十日、今上陛下、高御座《たかみくら》の御儀を行わせられたる日、新たに国民に下し賜えるご詔勅は、大正国民将来の覚悟をお示しくだされた大教訓である。

朕今丕績《ひせき》を続《つ》ぎ、遺範に遵《したが》い、内は邦基を固くして永く磐石の安きを図り、外は国交を敦くして、共に和平の慶に頼らんとす。

と、帝国七千万の人民は、すべからく〔当然なすべきこととして〕この大覚悟をもって、大活動をなさなければならない。

国家万代の計謀の根本は国民の精神にあるのである。

至偉大の人格

精神上の衣食住

お互い人間は病気でもして、もしそれが治りにくい病気であって、幸いにも全快ということになると、あたかも鬼の首を取ったように喜ぶのである。しかしながら一時は治ったにしろ、まだ生身体《なまからだ》であってみれば、またいつ如何にして病を発するか知れない、絶えず心配がつきまとうのである。それと同じく心の病気も、今度こそはと過去を懺悔し感激の涙を流しても、真の解脱安心が心にできていなかったならば、その病気を真に根治したものとはいわれない。もし心にさえ真の解脱安心ができていたなら、病気の治る治らぬはどちらでもよいのである。

人間の心はもともと塵をとどめる仏性である。お互いは、最初母親の胎内を出て生まれたばかりの赤児の心は仏性そのままの美しい姿であるから、泣けば泣くままに、笑えば笑うままに無我無念で、名もまたつけようのない清浄無垢なものである。しかるに追々と智恵づき、笑うようになり、立つようになり、ものを言うようになり、従っていろいろの分別が加わり、憎愛の念が起こるようになり、慳貪《けんどん》〔物惜しみ〕、愚痴、貪欲などの病気が激発してくるのである。それでこの恐るべき病気をいかにして予防したらよいかと言うと、すなわち心の着物、心の食物、心の住居に注意するのが何より一番に大切なことである。

しからばお互いの心につける着物とはどんな着物であるかと言うに、元来着物というものには二つの目的がある。すなわち、

一　外界の空気を塞ぐ、いわゆる寒さを防ぎ暑さを防ぐ、これ着物の働きである。

二　身体に装飾を施して礼節を整える。

この二つの目的で、着物は寒さを凌ぎさえすればどんなでも宜しいというようなことをよく道学者が言うことであるけれども、寒くさえなければ着物はなくてもいいということは言えない。着物を着てはじめて自分の身体というものが美しくなって礼儀作法が整うのである。ゆえに着物は外界の悪い空気を防ぎ、また心の上から言ったならば種々様々な誘惑物、すなわち外から侵入し心を乱し心を苦しめて蝕むところの悪魔、第一にはその悪魔を防ぎ、第二には心を綺麗に飾る。心を花のごとくにしていくというのが心を飾るのである。さらに言えば、お互いの身体を綺麗にして、心を綺麗にし、どこから見ても美しい徳を養っていくというのが、これ心の花であ

る。ゆえにお互いはいつ見られても心持ちが綺麗で、いつ見てもあの人の姿は美しいなどと言われるように成り済ましたいものである。

以上のごとく衣服には二つの効用を具えている。しからば心にはどういう着物を着ればその着物の目的が達せられるかと言うに、『法華経』には「忍辱《にんにく》の衣《ころも》」と仰せられてある。忍辱という語は、菩薩の六度〈大乗菩薩の六種の実践修行〉の中においては忍辱波羅蜜《はらみつ》とあって、人から恥辱を与えられた場合でもじっと堪えていくということで、換言すれば堪忍という着物を着る。この着物さえ着ていれば自然と諸々の誘惑をいたすところの悪魔にも遠ざかり、のみならず堪忍の力が具わっている時においては、われわれの心というものは始終静平である。心が優しく落ち着いて乱れない、これがなかなかわれわれは難しいのである。

精神上の衣服

さてこの堪忍には三種の方面があって、

一　対怨害忍《たいおんがいにん》

これは他人が自分に向かって怨憎毒害を加うるとも、みだりに腹を立てぬことである。世の中は些細なことに腹を立ててブツブツ怒っている人がある。こういう人は人の知らない不平の念に駆られていなければならない。堪忍を充分に守ることができたならば怨敵をも自分が感化し、しかもそれを味方にしていくことができる。これが堪忍の徳である。

朝夕の　飯さえこわし　やわらかし
おもうままには　ならぬ世の中

で、人生は決して意のごとくにはなるものでない。充分にこの世の中というものは意のごとくなるものではないとの諦めがついて、それで何事にも堪忍という心持ちでやっていく時には、その人は始終心が静かになって、穏やかに落ち着いているから花のように美しいのである。

二　安受忍《あんじゅにん》

これは諸々の疾病とか、水火刀杖《とうじょう》等の圧迫を受けること、それを耐えて恬然《てんぜん》不動〔平然として物事に動じない〕たることであるから、俗に言う辛抱の強いことがある。またいやなものを見、いやな声を聞いても我慢する。寒さ暑さにも我慢をする。

短気は損気、辛抱する木に金がなる。

とは、すなわちこれを言ったもので、実に辛抱の力によって勉強もできれば成功もする。忌々しいなどという不了見は決して出してはいけない。世間はかくあるべきである、勤めはかくあるべきものである、との自覚をもって努力していくのが安受忍というものである。

三　無生忍《むせいにん》

これは諸法の本体を諦観精察して〔超然としつつ注意深く本質を見極めて〕、本末が平等にして差別《しゃべつ》なく、差別は相因の縁によって生ずる一対の幻影に過ぎざるを知り、われわれが見聞する諸法において毫《ごう》も迷惑転倒しないことで、解りやすく言えば、世の中の一番根本の高い所から人生を見渡していって無我の境界《きょうがい》を得、もって堪忍することである。

元来煩悩の根本は我他彼此《がたひし》の念にあるので、われも彼も同一であると信じたならば、我《われ》を愛するがごとく他をも愛し、此《これ》を思うがごとくに彼《あれ》をも思うことができるのであるが、本来同一の性を有しながら差別の惑を抱いているからして、われを愛し他を憎み、これを好みあれを憎むのである。この我見があるから一切罪悪のもととなり、すなわちわれの愛するものはこれを得んとするが強すぎるから慳貪《けんどん》の念を起こし、われの憎むものを見てはこれを遠ざけんと欲して瞋恚《しんい》を生じ、罪に罪を重ね、悪に悪を増すに至るのである。ゆえに仏教では、まずこの我見を打破するをもって要として人空《にんくう》の説がある。

この説によれば、われを分析して、眼耳鼻舌身等の形体を指す色《しき》と、この眼で見、耳で聞き、鼻で嗅ぎ、舌で味わい、身で触れることを心に受け込む受《じゅ》と、受け込むについて起こるところのさまざまの想い、すなわち想《そう》と、これがもとになって身を動かし、口を動かし、意を動かしていくところの行《ぎょう》と、思慮分別する作用である識《しき》との五つとし、この五つのうち第一の色は身体、あとの四は精神、これを五蘊《ごうん》と言う。すなわちこの色受想行識の五蘊が集まって我《が》というものを形成しているので、これをほかにして我というもののあるのではないのである。

さらにまた、これのみではなく法空《ほっくう》の説というものがあって、前には我はただ五蘊の集合にすぎないと言ったが、その五蘊とても実にあるべきものではなく、ついには一切皆空の道理を示して宇宙万象は因縁によって現れる仮の相にして、その実あることなしというに至る。『心地観経《しんじかんぎょう》』には、

水中本来月影なし、浄水を縁として月を見るのみ。諸法は縁より生じ、皆これ仮なり、凡愚妄計してもって我となす。

とあるのも、すなわちこれである。もしよくこの道を会得したならば、罪障《ざいしょう》〔往生・成仏の妨げとなる悪い行為〕不可得と悟了することができ、白刃頭上に下るの時も、

四大元無レ主　五陰本来空
将レ頭臨ニ白刃一　猶似レ斬ニ春風一

と言った僧肇《そうじょう》法師のごとき覚悟も得ることができるのである。

元来、無生忍は無我の堪忍であるだけに、余程の修養を積まなければできぬのである。

むかし、京都天龍寺の御開山夢窓《むそう》国師が信濃へ旅立って大井川を渡る時、その乗った船の中に一人の泥酔した武士が後れ馳せて、いま岸を出ようとするところへ飛び乗り、しかも酔っているから面白半分に船をむやみに揺すぶる。その度ごとに長い刀の先で夢窓国師の頭をポンポンと叩くので、国師は頭を押さえながら、かの武士に、

「お前さんが左様に動いてくださると衲《とつ》〔僧侶の自称〕の頭は瘤だらけになる、どうかお静かに」

と言うと、武士は、

「なに坊主などは瘤ができても構うもんか、それがいやなら船から出ろ」

「出ろといっても私は半時余りも待っていて、ようやく乗り込んだもの。あなたはいま乗ってきて、そういうご無理なことを言われては甚だ迷惑をいたす」

と言うと、ずいぶん乱暴も程があったもので、

「なに雲水坊主のくせに小生意気なッ」

と、持っていた扇子で国師は頭をいやというほど打たれたから堪らない、頭から血が淋漓《りんり》〔あふれ滴るさま〕と流れた。するとその傍にいた国師のお供は、荷物こそ担いではおれ素は剣道の達人であったから、大いに立腹して国師に向かい、

「このような乱暴な奴を生かしておくというと世人に妨げになるによって、こんな侍は引き裂いてしまいます」

と言った。するというと国師が、

「お前はこんなことで腹が立つか」

と言われると、

「じゃと申して、もったい至極もない、あなたの頭に傷をつけるなぞというような無礼な侍、どうも私は堪忍ができませぬ」

と拳を握って力む。すると国師はにこっとお笑いになって、流れる血潮を拭きながら、

打つ人も　打たれる人も　もろ共に
　ただひと時の　夢のたわむれ

人世《じんせい》は夢である、浮世は夢であると達観する。打つのも夢であるから打たるのも夢である。夢ということを知らずにいれば腹が立つ、頭をたたかれた上に堪忍の道を破ったならば一挙両損、悪い夢を見たと思って、何でこのくらいのことに腹を立ててなろうぞ、ということの歌の意である。かの侍もこの態度を見て酒の酔いも一時に醒め、船が向こうに着くや否や国師に先刻の無礼を詫び、お弟子にしていただきたいと、川端で子弟の縁を結ばれたということである。

されば、かくのごとき人生を解脱し、一段高いところの真の無我の境界になって堪忍を守ったのである。

漫然たる欲望の処理

堪忍の力は寒さ暑さを凌ぎ得るのみではない。われわれ相互は美しい姿を見ては心が動き出し、面白い声を聞いては心が動き出す。その声や姿のためにも動かされない力をもっているのである。また諸々の欲望をも押さえつける力をもっている。

人間には誰でも欲のない者はない。欲があればこそ向上もし、また発展もするのである。けれども同じ欲という中にも二種あろうと思う。一つはいわゆる向上発展を促すところの動機となる欲で、人間には誰しもなくてはならぬ欲である。生活欲とか智識欲とかはすなわちこれである。また勉強して立派な人になろうという功名心もまたこの種の欲望にほかならないと思う。

次に今一つの欲は、なんら向上の動機ともならず、発展の要素ともならぬ漫然たる欲すなわちこれで、まったく欲のための欲で、感心されないところの欲である。

たとえば女で言ったならば、この頃はこういう着物が流行するかといってすぐにそれを欲しくなり、自動車が流行するといえば無闇にそれに乗ってみたいと思ったりする類の極めてとりとめのない漫然たる欲である。

ところが現代の若者の中には、この極めてとりとめのない欲望を抱いて、それが得られないでむしろいたずらに煩悶している輩が少なくないように見受けられる。この傾向は一面には、あるいは今の時勢がそういう軽佻浮華《けいちょうふか》〔言動が軽々しく実質がないこと〕なる悪傾向をつくり出したのでもあろうが、翻って考えてみるに、その半面の責は、すなわちこうした欲に支配されている結果のように思われるのである。

ゆえにここにも欲の堪忍というものの必要が生じてくる。欲ばってはいけない、人間の欲を去らなければならぬというのではない。欲ばるのも大いによろしい。欲ばるにしても、その欲を満たすことによっては大いに向上もし発展もし得られるようならば、むしろ望ましい結構なことである。けれども人間というものは浅ましいと言おうか、どうもそういう向上発展を促すような上等の欲のみを常に起こすというわけにはいかぬものである。そして人によると、その欲望の果たして自分に満たされ得るかどうかということをも考えずに、無闇にそのことのみを考えて仕事も手につかず、うかうかと日を送り、ついにはその望みが自分を迎えに来ぬのを悲観して、いたずらに煩悶するというような人も少なくないようである。諺にも、

地にあるものは落つることなし。

とも言ってある通り、もしわれわれの心に堪忍というものがあったならば、常に心は落ち着き払っているのであるから、決してそんな浮いた夢のような儚い欲に左右されることはないのである。かつまた自分の地位、名誉、財産等を自覚していたならば、かかる虚栄の夢を見るようなこともなく、自分は自分でやるという深い決心をもって、おのれの天職を楽しむことができるのである。『法華経』にも、

諸苦のよるところは貪欲をもととす。

とある通り、世間でくよくよ煩悶したり、不足を訴えて愚痴をこぼしたりする人の多くは、お

のれを顧みずにいたずらに欲ばるから起こるのである。

けれども諸君はここにおいて誤解をしてはいけない。何でも堪忍堪忍と堪忍ばかりしていたならばわれわれはちっとも進歩も発展もないではないか、仏教は消極的であってそんな主義は今の時勢には合わない、と考えられる点もないではないが、これは仏教をなま齧りした者のよく言うことで、この堪忍の裏には精進のあることを忘れてはならぬ。

さて堪忍の修養がよくわれわれに保てるならば、ちょうど着物が外界の空気を防ぐようなものである。しかして、いつでもその人の精神には余裕があり、おとなしく美しい楽しみというものを常に忘れぬようになるから、花のごとき綺麗な精神を永く保存していくことができる。まことにこの着物は世界の呉服屋へ行ってもなく、ただ仏の教えより得ることがない〔得るほかない〕のである。

精神上の食物

次には精神上の食物ということをお話しするのであるが、食物がないと人間は動けない、食わなければ死ぬるから食うことになる。食わなければならぬから働くことになる。食わなければ死ぬるということは、これ間違いのないことである。いかなる腕力の強い人でも食物を二日も食わずにおったならば力がヘトヘトに抜けてしまう。これと同じくわれわれお互いの精神の力もその通りで、精神上の食物は一日も欠くべからざるものである。

しからばその食物とは一体何であるかと言うと、信仰という食物である。(この信仰ということについては前篇にも縷々述べたことであるが)すなわち信仰の問題は理屈ではなく、ある偉大な対象を立ててそれに絶対的帰依することである。われわれは仏様を信じきって仏様を拝みたてまつるとき、そこには思わず知らず何となくありがたいという信仰の念が起こって、何とも言うことのできない感涙を搾ることがある。

何事の　おはしますかは　知らねども
かたじけなさに　涙こぼるる

とはこの境界《きょうがい》を詠んだものであろうと思う。仏様の前に座ってみると全く親の前にでもいるようにありがたい。たとえば人がいなくとも仏様が見ておいでになるという。たまたま自分の精神に悪い了見でも起こったならば、仏様は見ていなさる、実に恥ずかしい、という信仰を起こす。心にないことを行った時には、仏様が守護してくださると思って、自分が満足していく。仏様を当面の相手として常に仏様を頭《かしら》に戴いて、仏様に向かって非常に満足をしていくという、これがごく正直な信仰である。

ここでまた一言注意せねばならぬことは、迷信と信仰とを混同せぬことである。迷信と信仰ということを明白に解釈し、そして両者の限界を確定するということはなかなか容易なことではないが、大体において迷信は科学真理と背反せる信仰とみて差しつかえない。

われわれお互いの心には智情意の三つが備わっていることは誰も承知のことである。すなわち理智の働きのほかに情意の働きなるものがあって、たとえ理智の上で充分承認しておっても、情意において承認せなかったならば、そのことは人生において何らの力を持たないことになる。たとえば呪詛《じゅそ》〔のろい〕禁厭《きんよう》〔まじない〕祈禱等の類でも、単に智識の上では取るに足らないものだと知りながら、情意の上において承知することができないものだから、盛んに流行し、なお今の世に一勢力を保持しているのである。しかしこれらの信仰は野蛮人や愚昧の民の間には多少の勢力を持っているけれども、科学の智識を有する文明人の間には大なる光輝を放ち得ないものである。かかる信仰をすなわち迷信と名づける。

仏教では五力《ごりき》〔悟りに至らせる五つの力〕ということを説明してあるが、その第一にはまず信《しん》力《りき》を挙げている。この信力ということは、つまり宗教を信じた結果によって、私どもの身の上にいかなる力が現れてくるか、いかなる力が湧き出てくるか、ということを示したものである。今はこれをわが国古来の忠臣義士 英雄豪傑に徴《ちょう》して〔照らしあわせて〕見ても、みな心の奥にこの宗教的信念を持っておったものであるから、華々しき活動を演じたのである。たとえばかの楠木正成・正季兄弟が、

七度《たび》人間に生まれて逆賊を滅ぼさん。

と言ったのも、宗教的信仰を持っていたからである。言うまでもなく霊魂の不滅を信じ、少なくとも精神の恒久的存続を信じていたからである。

また赤穂浪士の面々もやはり宗教的信仰の立場から、主長矩《ながのり》公の敵吉良上野介の首級《しゅきゅう》〔討ち取った首〕を揚げることに一心に努力奮闘し、しかして主君の霊に、地下に見えて恥ずるところなからんことを期したのである。さればこそ主の仇を報ずるや〔主のかたきを討つと〕ただちに泉岳寺に引き揚げ、故主の墓前に首級を手向けた。生きたる人に物言うがごとくその志のなりたるを告げ、一同腹を切って主公の居ます冥途泉下《めいどせんか》〔あの世〕に赴いたのである。

かかる例を挙げれば限りがない。要するに、もしも彼らにこの信仰が欠けていたならば、かか

る美しい精神のあるはずもなく、またかかる快挙も演出することができなかったろうと思われる。実に宗教的信仰なるものは、一体に人をして勇猛邁進せしむるものである。

しからば宗教的信仰はどうしてかくのごとき恐ろしき力を持っているのであるかと言うに、宗教的信仰は自己という有限の小我を捨てて、仏とかあるいは神とかいう自分よりもより以上の大力者 絶対者に帰依して、その力をもってするからである。全くその信仰する対象の力いかんによるのであるから、宗教ではその信仰する対象の偉大なるに従って、いよいよその信仰の力を発揮することが偉大である。さればこの有為転変の世界にあって蝟集《いしゅう》しくる〔群がってくる〕苦悶憂愁に打ち勝つことができないで泣いている私どもは、速やかに精神上にこの信仰の食物を充満し、大丈夫の心と力とを得て、すべての苦悶とすべての憂愁とに打ち勝つ工夫をせなければならぬ。

精神上の住居

以上、精神上の衣服と食物とのお話しをしたことであるが、さて次には精神上の住居を穿鑿《せんさく》しなければ〔掘り下げて述べなければ〕ならぬ。

元来われわれの住んでいるこの家屋というものは、梁も柱も土台も垂木《たるき》もいい材木が揃った上に長短縦横、適宜に配置されて、瓦一枚でも釘一本でも少しも欠け目のないのでなければ、決して安全なる普請とは言われないものである。たとえ材木のみは総檜の節無しで木曽山中の選りぬきが揃い、まだ床柱には天下に得難い名木が使ってあるなどと言っても、床の下の土台石に少しばかりの緩みがあっても、天井の上の小屋組みに五分─三分の隙間があっても、決してその家屋に住居して安心していらるべき見込みはない。

また床下や天井は見えない所であるから別に注意をしておかなくても良さそうなものであるが、人の目につく場所というものは却って常に誰も彼も気をつけて見るから、危険と思えば繕いもし、みにくいと思えば直しもする。けれども平生人に見えない所というものはどうしても等閑《なおざり》になるによって、床下とか天井とかいうような所は更にいちだんの注意を要するのである。もしこの注意を怠っていたならば、万一の時には思いもよらぬ大騒ぎになることがある。

さて、それではお互いのこの精神上の家はどうであるかと言うと、その組立は「慈」という木をもってして「愛」という家ができ、部屋ができて、そこへ住居するのである。

仏正〈仏心〉とは大慈悲心これなり。

とも言って、お互いも仏のごとく慈悲の徳を具えている。しかしてこの慈悲たるや、すべての一切の万境《ばんきょう》に対して楽を与えて、苦しみを救い、人に安楽を与えていこうというところの親切な同情の念である。すなわち、この慈悲をもって造られたところの家というものは、敢えて装飾せずとも内外が綺麗であるばかりか、また寸分の手落ちもなく、いかなる激風にも揺れ動く心配もないのである。

まことに慈悲の家に精神が落ち着いていたならば、その徳は広大無辺、人に向かっては慈愛となり、謙遜となり、あるいは向上、努力、精進、勇猛となり、君に仕えて忠、父母に対して孝、師匠に対して悌《てい》〔従順に仕えること〕、朋友に対して信、夫婦にあっては和となる。その他何事によらず、すべてこの同情、慈悲の念というものがあったならば、はじめてこの人間の行いというものが本当の人道に適っていくと言ってよろしい。『華厳経』には、菩薩に十種の大悲ありと説いて、すなわち、

菩薩に十種の大悲ありて常に衆生を観ず。すなわち衆生の帰依する所なきを観察して大悲を起こし、衆生の邪道に随遂するを観察して大悲を起こし、衆生の貧しくして善根なきを観察して大悲を起こし、衆生の長く生死に睡《ねむ》るを観察して大悲を起こし、衆生の不善法を行う

を観察して大悲を起こし、衆生の欲に縛らるるを観察して大悲を起こし、衆生の生死の海にあるを観察して大悲を起こし、衆生の長き病を観察して大悲を起こし、衆生の善法を欲するなきを観察して大悲を起こし、衆生の諸仏の法を失うを観察して大悲を起こす。

ともあって、自分の精神の中にはこの大慈大悲という一つの光があって、はじめてその光が日々の立ち居振る舞いの上に現れて、一日の中に千変万化、実に意義ある生活が送られるのである。たとえまた巨万の財を貯えて、あるいは人に勝れた学識を具えて天下の学者、または英雄をもって任ずるという人であっても、その人の腹の中にもしこの慈悲心というものがなかったならば、あたかも家屋の表面がいかにも立派で、見たところだけは何ほど体裁がよくとも、内実不完全の建築物は家として住まうべく安心できないごとく、人間の資格を失った者である。

為さずにはいられぬ習慣

以上約言すれば、われわれお互い人間である以上は衣食住が生活に欠くべからざるものであるがごとく、精神上にも堪忍の着物、信仰の食物、慈悲の家が欠くべからざるものであるは前述の次第である。これを体得してすなわち最高の人格、自然にその行為は道徳に契《かな》い、一つの習慣となってしまうのである。

すべての行為について、為さねばならぬと思って為すのと、為さずにおられぬようになって為すのとの二つがある。たとえば朝起きのごときも初めの程はつとめて勉強して起きるのであるからなかなかの辛抱であるが、月を積み、年を重ねるに従ってそれが習慣となって、ついには寝ておれと言われても寝ていられぬようになるのである。ゆえに何事でも、善い習慣をつけるように心がけねばならぬ。『中庸』には、

誠は勉めずして中《あた》り、思わずして得、従容《しょうよう》道に中るは聖人なり。

とあるがごとく、かように習慣が遂には自然になりきってしまわなければならぬ。われわれ凡夫はとかくに我執に引かされて、いわゆる二歳の孫にもこれを知っているけれども、八十の老翁もこれを行うことは至難の難である。

人間は同じ歩行するにしても、心を落ちつけて親切な慈愛の情のこもった時の歩き方と、腹を立った時の歩き方とは違う。また顔容《がんよう》〔顔かたち〕の上においても、非常な親切をもって座っている時と、また親切を失って座っている時とでは全然違っている。従ってそれに対する人は、〔時によっては〕不愉快を感ずるというようなわけで、これが前述の三つのものが揃って習慣性にな

っている者であったならば、すでにその人格をもって他を畏敬せしめるの力があるのである。

われわれお互いに忍耐勉強して道徳を行い励むべきはもちろんであるが、これと同時に正しき信念を涵養することが必要である。信念の者は、いわゆる我執を離れ、しかして無量の慈悲と智意力とを有し給《たま》うている仏陀大覚《だいかく》〔そして無量の慈悲と智意力とを有されている仏陀、その大きな悟り〕の境界《きょうがい》に帰依し奉る。人を相手とせずして仏を相手として、名利《みょうり》〔世間的な名声と現世的な利益〕を目的とせずして菩提〔悟りの境地〕を目的とし、現在一世に着眼せずして未来劫に思いを存する。ただに悪を離れるばかりではなく進んでは悪衆生を救済に及び、善を行うのみならず進んでは一切衆生をして善を行わしめる。しかしてこの道を行い、この徳を修める上において、無限の歓喜と無限の感謝とが伴ってくるのである。

『教経《きょうぎょう》〔遺《ゆい》教経〕』の中には、

今より已後、わが諸の弟子、展転して之《これ》を行ぜば、すなわち如来の法身、常に在して、しかも滅せざるなり。

と説かれてある。すなわち之とは、この道を言うにほかならぬのである。もしわれわれが誤ることなく忘れることなく、この道に依って働き、この道に依って勤め、常に須臾《しゅゆ》〔ほんの短い時間〕も離るべからざることを知って、この道を完全に円満に行うならば、如来の法身《ほっしん》〔永遠の真理そのものとしての仏〕常に在して、しかも滅せざるなりである。さらにこの道はすなわち仏である。仏がすなわちこの道であるからして、この道を遵奉《じゅんぽう》する時、われと仏と、仏とわれと、相共に生き、相共に働いて、寸時も離れないのである。ゆえにまた、われわれは須臾も道を離れることができぬごとくに、寸時も仏を離れることはできぬのである。

すべからく八正道を行うべし

仏の教えの中に八正道《はっしょうどう》と言って、八つの正しい道を示しある。すなわち、

一　正念
二　正思惟
三　正見
四　正定
五　正語
六　正業

七　正命

八　正精進

の八つで、これを行っていくところ、いかなる人といえども邪悪不安なことがないというのである。

一　正念《しょうねん》――これは正しい念というので、すなわち仏の心である。お互い人間の心は生まれたままの本来はこの正念であったのであるけれども、だんだんと年をとり、智恵を生じ、ついには物欲のためにこの正念は覆《くつが》われるのである。正念はあたかも清水のごとく、また明鏡のごときものであるけれども、ここに迷いの雲が遮れば月影を映さない。

月影はちょうど仏様や神様のようなもので、正念の人の心には常に映っているのであるから、思うこと悉く成就するのである。よく聞くことであるが、「俺はずいぶん善事を行っているが、おかげがない」などと言うのは、それはおかげ〔物ごと・行為から生じる結果。利益〕がないのではなくて、こちらの正念がまだ真箇《しんこ》に清くないのである。正念であればいかなること、いかなる願いも成就するのである。

二　正思惟《しょうしゆい》――人には思惟《しい》〔思考〕のない人はないのであるが、しかしわれわれは常に正思惟でなければならぬ。

正思惟とはすなわち心に隙間油断のないことである。油断は大敵である。何事でも正しいことを考え、それに熱中して心に油断がなかったならば決して邪念もまたこれを侵さない。小人閑居して不善をなす〔小人物は暇ができると悪事に走りやすい〕で、こんなことくらいの不善は人には知れまいなどという油断は、ついには大賊を作りだすの基《もとい》となるのであるから、よくよく注意すべきである。

三　正見《しょうけん》――これはさらに五通りに分類されて〔正見を妨げる「悪見」は五通りに分類されて〕⑴身見、⑵辺見、⑶見取見、⑷戒禁取見、⑸邪見、すなわちこれである。

⑴身見《しんけん》　これは身に迷うことである。香厳《きょうげん》禅師の偏〔「偈」が正字か〕に、

百計千謀只為身　不知身是塚中塵

勿謂自髪無言語　是之黄泉伝語客

とあるが、さらに国山《こくざん》和尚はこれを改めて、

勿謂黒髪無言語　是亦黄泉伝語客

と言った。なるほどお互いの身体は大切なもので、また大切にしなければならぬが、その最

後はどうなるかと言うに、塚中の土となるのは確かである。してみればこの娑婆というものは皆、墓場の土の仲間が集まって話をしたり話を聞いたりしているようなもので、髪黒々したいかに絶世の美人でも、やはりそれが黄泉から来た使いであると思えば、迷うことも醒めてしまうわけである。肉に執着するはこれ身見である。

(2)辺見《へんけん》　社会は互いに持ちつ持たれつして立っていく〔成り立っていく〕ものである。それを自分一人けっこういけるものと思うような根性、すなわちこれ辺見である。人々おのおのの特性があって、これを発揮していくところに文明が進歩するのである。

(3)見取見《けんじゅけん》　自分で定めたことは動かされないなどと言って、頑固だとか固陋《ころう》〔古いものに執着して新しいものを好まないさま〕だとか言われる人はみな見取見が強い人である。自分で誤ったことは喜んでこれを正さねばならぬ。

(4)戒禁取見《かいごんじゅけん》　これは戒法を間違って行っていることで、たとえば女の手を持つは戒法に禁じてあるからと言って、婦人の危機を見てしかも黙って捨てておくのは、戒禁取見である。

(5)邪見《じゃけん》　すべて正しく教えた道に反対したものを邪見と言うので、この見解の甚だしいのになると上御一人《かみごいちにん》〔王・天皇〕に対しても不敬な考えを起こすようになるから、大いに注意せねばならぬ。

以上の五見を排して正しい見解を取るのがすなわちこれ正見である。

四　正定《しょうじょう》――心を正しく定めることである。人間は誰でも自己の信念に確固たる動かないところがなくてはならぬ。薄志弱行〔意志が弱く実行力が乏しいこと〕は今日の世には大禁物である。

五　正語《しょうご》――言葉を正しくするということで、口の邪なるものに妄語、綺語《きご》、悪口《あっこう》、両舌《りょうぜつ》の四種があって、このうち妄語は理に背いたことを言うこと。綺語は飾り言葉で、ないことまでも飾って言う人があるが、これは慎まねばならぬ。悪口は他人の悪口を言う。両舌は一枚の舌を二枚に使うので、一方では体裁の良いことを言って、また一方に行っても嘘を言う。まことに口は災いの門である。

この四種の非常〔異常・非常識〕を正しくしていくのが正語。正語にしていくには誠《まこと》でなくてはならぬ。誠から出た言葉であったならば、たとえそれが偽りでも方便となるものである。

六　正業《しょうごう》――人々おのおの自分の職業がある。その業務に就いて農家は農を励み、商家は商いに精を出す、これすなわち正業である。しかるに今日はいわゆる虚栄の世の中となって、各人がみな美服佳肴《かこう》〔おいしい料理〕を欲するから、せっかく人間と生まれて一生土掘りは情けないなどと田舎者が都へ飛び出すことが多い。しかしこんな了見で成功する者は十中一、二である。これ、自己の職を信じないくらいの人間はまた成功すべきではないからである。

七　正命《しょうみょう》――正しく生活するということである。人の生活は千差万別、等しいものはないが、虚偽ではならぬ。正しい生活をせねばならぬということは、万人に通したことである。人間は、たとえいかに貧乏でその日稼ぎの人でも、天地に恥じざる生活であるならば実に愉快至極である。

八　正精進《しょうしょうじん》――生存競争が激甚になってきた今日では、何びとでも精出して勉強せねばならぬ。精は純一無雑の謂《い》〔意味〕であるから、悪いことや非法なることはさらに関係せずに、善なる道、真なる理想に向かって猛進勤行することである。

さらにまたこの精進の大方針を四通りに示して四正勤《ししょうごん》と言っている。正勤は正しき勤めで、

(1)已生《いしょう》〔すでに生じた〕の悪は永く断ぜしむ。すなわち悪念を制し、悪業を制して、身に意の三業《さんごう》を浄潔にすることである。

(2)未生《みしょう》〔まだ生じていない〕の悪は生ぜざらしむ。将来生ずべき恐れある悪念、悪口、悪業は

自ら断乎たる誓戒を施して、永く生じないようにせねばならぬ。この二つは消極的の精進である。

(3)已生の善は増長せしむ。すでに生じ始めたところの善念、善語、善業はますます相続し、かつ発達せしめて、これを大成せしめねばならぬ。

(4)未生の善は生ずることを得せしむ。すなわちこれから為すべき善行は須臾《しゅゆ》も油断なくこれが実現を期することである。

百丈《ひゃくじょう》和尚という人は九十六歳の高齢をもって遷化《せんげ》した〔亡くなった〕人であるが、その九十の歳になってもまだ若い雲水どもと一緒に仕事をして、毎朝欠いたことがなかった。雲水どもは気の毒に思って、一日、仕事をする道具を隠した。するとこの和尚、その日一日食物を食わずにいた。雲水どもは怪しんでこれを問うたところ、

一日為さざれば一日食わず。

と言って、どうしても食事をしなかったということである。

われわれお互いもこの精神で世に処していきたいものである。今日あらゆる事業に対して経験と熟練とが必要となったので、どうしても水平線上から頭角を現そうとするには歳月と競争

する永い修養が必要である。それには精神上に堪忍、信仰、慈悲の衣食住を整えて、初めより立派な建築ができないと思ったならば仮住まいでもよろしいというようにして、漸次に〔だんだんと〕慈悲を養い、漸次に信仰を進め、漸次に堪忍の力を整えて、そしてすべからくこの八正道を行くのである。すなわち釈迦如来の聖経、八万四千の法や、五千四十八巻の経文というも、この道理を明らかにしたに過ぎないのである。この境界《きょうがい》に至れば、

奇なるかな奇なるかな、一切衆生皆ことごとく如来の智恵徳相を具有せり。

とも言われ、天然自然に釈迦如来と少しも違わない智恵も道徳も具えていると言い得るのである。

修養の過程

修養の意義と目的

精神修養ということは誰もかれも言うことであり、また良いことであるが、さて実行するという段になるとなかなかできないものである。良いことと知りながらできないのは勇猛心がないからである。信念が薄弱であるからと言わねばならぬ。近来はことに多く修養ということが言われるようになり、種々の修養団体が組織されてまことに結構なことであるが、その割合にその実が上がっていないように思う。これはいかなる理由であろうか。

けだし〔思うに〕精神修養とはいかなることであるか、何を目的としてまた何の必要があって修養せねばならぬのか。これくらいなことは誰にでも解っているはずであるが、その方法を誤っている人がありはしまいか。それゆえに私は今日の要求する精神修養の方法について少し述べてみたいと思う。

元来人は、いにしえの哲人が言ったように社会的な動物である。社会的な動物であるというのはどういうことかと言うに、つまり孤立していることができない。虎や狼やそんなような具合に皆別々になって生存しているのではなくて、必ず大勢寄って助けあって生存しているものであるという意義〔意味〕であることは今さら申すまでもないことである。

到底人間は社会を離れて生存することはできぬ。人間が今日のように進んできたのは社会の組織がよくできてきたためである。ゆえに人間は自分の修養ということを努めるその半面には、自分と同じような人がある、他人があるということを考えなければならぬ。他人ということを考えの中に入れずして修養もなければ仕事もできぬ。第一自分の存在と言うことができぬ。

換言すれば、人生の活動は外国の事情に適応せんとする吾人《ごじん》の努力にほかならざるがゆえに、外界の事情の変化は直ちにわれわれの活動に影響するのである。したがって外界の事物が主導者となり、われわれはこれによって左右せられるという弊は免れないことである。

例《れい》せば、東京にてある人は青島《チンタオ》陥落の快報に接して雀躍に耐えずして街路のごみ箱を投げたり蹴ったりして警官の厄介となった。またある者は長年の貯金を一日に使い尽くして翌日から乞食のようになった。これらの人々は外界の事情を支配する力がなく、ただ外物の奴隷となっているのである。これと同じく修養のない婦人はよく衣服を着るのではなくて衣服のために着られ、愚かなる男子はよく金銭を使わずして却って金銭に使われる者が多い。すなわち懐に金のある時は肩で風をきって意気揚々としているが、さて金がなくなると青菜に湯をかけたように意気阻喪してしまう。このような男女は衣服や金銭の奴婢であって、衣服や金銭を所有する主人公では決してないのである。

また迷信の奴隷となるということもまた憐れむべきことである。九星とか方位とか家相、姓名五行、干支等の人間が想像した産物ということを知らずして、これらによりて束縛せられ左右せられ使役され拘束されて、迷いの上に迷いを重ねているのである。家相とか方位は畢竟《ひっきょう》空中の楼閣である。いにしえの禅者が、

迷故三界城　悟故十方空

本来無東西　何処有南北

と喝破せられている。また歳時年月に吉凶のないということを示しては、

日々是妙日

と示されてある。

魏の元忠《げんちゅう》公がいまだ高官に昇らなかった時に下婢があわただしく公に告げて、

「あれあれ野猿が庭に火を焚いております」

と言い、いたく物の怪に怖じたるさまであったのを、元忠公は微笑しながら、

「われ貧しくて召し使いの者少なければ野猿も来たって手伝いするならん」

と言われ、見向きもせずして読書せられた。またある時、元忠公がその臣を呼ばれた時に飼い犬が人間の声にて、

「ハイ」

と答えたのを見られ、従容《しょうよう》〔ゆったりと落ち着いたさま〕として、

「なんじは孝順なる犬である」

とて誉められた。かく妖怪めいたことが度々あったが、公は少しも怖れることがなく、心を安んじて道を行いて遂に大人物となったのである。

無根拠なる愚俗の迷信

斉の威王《いおう》の少子〔末子〕に靖郭君田嬰という人があった。この田嬰《でんえい》の妾が懐妊して五月五日に出産をした。しかるに当時の諺に、五月五日に生まれた子は男子ならば父を害しもし、女子なら

ば母を害すということであった。田嬰もこの迷信に陥って、いたくその子を養うことを忌んで、

「必ずこの子を養うなかれ」

と妾に命じた。されど妾はわが子の愛にひかされて密かにその子を養い、田文《でんぶん》と名づけて寵愛していたので、後に田文は成人して、その兄弟の紹介によって父の田嬰に逢うこととなった。時に田嬰は内心おおいに快からず思って妾に語って言うに、

「われ、この子を養うことなかれと言えるを、何とて斯《か》くは偽りて育てたるぞ」

と。そのとき田文進み出で父に問うて言う、

「何をもって、五月の子を忌み給《たま》うや」

と。田嬰答えて、

「五月之子者、長与レ戸、将レ不レ利二其父母一〔五月生まれの子は、門戸より背が高くなれば親を害する〕」

と言えば、田文のいわく、

「人、生まれて命を天に受くるや、はた命を戸に受くるや。もし命を戸に受くるとならば従ってその戸を高くすべし。誰かその戸を斉《ひと》しかるべき〔人の運命は天から授かるのか、門戸から授か

るのか。もし門戸から授かるのなら、門戸を高くすれば済む（そうすれば背丈が越すこともない）。誰かが門戸を背とおなじ高さにすればよい」

と。ここにおいて田嬰もその理に屈して、その後は他の子と同じく待遇するに至った。田嬰の子は四十余人もあったが、その中に最も抜群の英雄となったのはこの田文で、後に孟嘗君《もうしょうくん》と称して斉国の重となったのである。

上述のごとく愚俗の迷信には一つも根拠のあるものはない。もし田嬰の母にして田文を育てなかったならば、斉の国は一個の大人物を空しく失ったであろう。わが国にもこれと同じような迷信が多いのは実に歎ずべきの至りである。陰陽師の門には蓬《よもぎ》絶えず（吉凶を気にし過ぎると門の雑草を取ることもできない、何もできなくなる、の意）という諺のごとくに、万物の霊長たる人間に生まれていながら何と浅ましいことであろう。

自然を征服する開拓者

すべて人間は、自然の成りゆきに任せるというような気風では何事でも進歩とか向上とかいうことはできないのである。

東洋人は西洋人に比べると、一体に、

「自然を征服する」

という観念が乏しいように思う。

例《れい》せば、日本にては大抵のことは自然天然に任せて人為的改良を加えぬ。農業について言えば、農事改良は一般農民の最も厭うところで、耕地整理のごときは絶えず農民の苦情の種となっている。今日の農民は害虫の駆除さえも不可能のことと思っている。

草花の栽培について言えば、芍薬《しゃくやく》〔薬用・鑑賞用に栽培されるボタン科の多年草〕のごときは、日本人は自然に任せて少しも改良しなかったが、西洋に輸出せられて後、西洋人がこれを人工で改良し、日本にていまだ見たことのない美麗な花となった。わが国に逆輸入したその他すべて動植物に対して、改良を加えることについて怠りはない。すべて自然界の万物を人生生活に適するように人工的に変化し得べしという固い信念を持っている。この信念あればこそ近世の文明を形づくったのである。すなわち彼ら西洋人は自然の障害に対して絶えず宣戦し奮闘して最後の勝利を占めんと努力しつつあるのである。

これを要するに西洋人は外界の事物を自然のままに放任しておかずして、人為的に改良するに努めるところが特長である。これ、われわれが大いに倣うべきことであると思う。わが国の人が何事もとかく自然の成りゆきに任せるということは甚だよろしくない。われわれの開くべき運命の鍵は、われわれの手の内にあることを忘れてはならない。されば修養の第一歩は、よく外物の主人となって、外物を自由に使って、人生生活に適せしめるということになるのである。禅家で名高い趙州《じょうしゅう》和尚が、

老僧十二時を使い得たり。

と言われたのは、よく外物の主人たる禅者の心状を道破〔喝破〕したのである。この心的状態に達せんとしたならば、まず瞑想してわれは万物の主位にありて、山川草木等もわれに臣従し、われは宇宙の中心点に座して、日月星辰もわれの周囲に位《くらい》し、森羅万象は皆ことごとくわれの領域に属すという大思想、大見識に任せなくてはならない。

換言せば、万象はわれを中心として存在し、日月はわれを照らすための灯火である。地球はわれを載せるための盤石である。山川草木はわれの遊観すべき庭園である。一切の魚鳥獣類はわれに仕うる従者である。一切の人類はわれの親戚であり、一切の物質はわれがために存し、その取捨与奪はわれの自由である。このように体達〔身をもって物事の理を究めること〕すれば、何事

に遇《あ》っても外物のために心を奪われず、外物の奴僕となることがなく、すべての主人公となることができる。一切の順逆〔正しいことと誤っていること〕得失〔成功と失敗〕の中におってもわれは超然として、利に遇っても利に走らず、障害に遇ってもこれら障害のために屈することがなく、順に処しても順に溺れずして、十二時つねに平然たることを得るのである。

随所に主となる活動

近来の傾向として人心が宗教を求めるようになった。しかして多くの人が、求める態度が真摯を欠いている。いろいろ宗教をあれこれと求め回っている。そして結局は満足な安心は得られないこととなるのである。まず何物にか決定してこれに依るのでなくては、ただ広く渉《わた》るだけで、何にもならない。だから自分はいかなることに出遇《あ》っても必ず随所におのれが主となるということを忘れてはならない。

かの寒声《かんごえ》〔寒中に声を出してのどを鍛えること〕を取るのでも、謡曲などの道楽でやるとなると少しくらい寒くても平気でやるが、あれが道楽のためでなく、自分の職業のために嫌々ながらやるのでは、同じやることでも悲惨と愉快との区別がある。

換言するならば、自分が主となってやるのと、他に何ものかがあってその命によって自分は客となってやるのとの差異がある。たとえ職業のためにするのでも心の持ちようだ。自分が主となり、面白くやることができるのである。

自分が主とならず客となると、寝ているのも楽でないようになる。ゆえに人を使うのもここに注意して単に命令するというのではなく、彼が自ら進んでその仕事をするように仕向けるということが大切である。朝寝をするということの悪いのは誰でも知っている。「今朝こそは早く起きよう」と思っている時に「いい加減に起きたらどうです」なぞと言われると「生意気なことを言うな、起きるものか」というようになって、かえっていつもより朝寝をするようになる。酒なぞ呑む時に「もうこのくらいでやめよう」と思っている時に「いつまで呑んでいるのです、もうやめたら良いでしょう」なぞと言われると「何くそ、もう一本呑んでやれ」というようになる。

すべて何事でも、自ら進んで自発的に自己が満足して事に当たると愉快なもので、人から強いられて仕方なしにすることは甚だ不快である。元来仕事に二つはないのであるから、〔おなじ仕事であっても〕心の持ちようで二途に別れるから、ここに大いに注意して、その物を利用し、自分ですべての物の主となって、事に当たりて満足し愉快を感ずるようにしていかなければならない。ここに至れば人が不幸であるということも自分にとってはこれを幸福とすることができるのである。

しかしてここに疑いが起こる。猫には鰹節の利用はできるが小判の利用はできないように、人間にも各自に特長があって自己に適せない外的の境遇は利用できないと言うかもしれない。しかしながら、利用できるできないは客観にあるのではなく、主観の自己にあるのであるから、自己の心さえ活動すれば利用のできないということはない。すなわち、われわれの腕次第によって外界はどうとも利用することができるのである。

悪癖と奴隷

次に、われわれは身体を左右するということが大切である。とかくにわれわれは身体の要求によって精神が左右せられるということであるということを知らなければならない。その三段とは——

第一に無意識的活動で、われという自覚がなく、寒暑等の刺激に対しても何の感覚もなく、ただ生気の発するままに生成し、生気が減ずれば死滅する。これらに属するのは植物とか下等の動物である。

第二は衝動的活動で、これは身体に衝動の起こるに従って活動するのであって、その行為が利益であるか、あるいは害であるか、少しも注意しない。これらの場合には統一がなく矛盾が生ずるのである。たとえば渇した時に、水の良否を見ずにこれを飲み、飢えた時にいかなる食物であるかということを選ばずにこれを食う。性欲の起こった時にはどんな場合をも問わずに直ちにこれを満足せんとして活動する。これらは下等動物に見るところである。

第三には理性的活動で、これは最上位にあって、すなわちわれわれは理性によって衝動をほどよく調整し統一して活動するのである。例《れい》せば、渇して水を飲む場合でも水の良否をよく選んでこれを飲み、あるいは飲まないというように、場合によりては肉の衝動に対して絶対にこれを制御することもある。これが理性的活動で、人間として当然の活動である。

しかして先の衝動的活動は下等動物に限らず野蛮人あるいは文明人でも、どうかするとこの活動をなすことがある。これらはみな身体の奴隷と言わなければならない。ついても最も怖るべきことは下等なる欲望を充足せようとする習癖である。

例せば間食癖、手淫癖、飲酒癖、喫煙癖で、これらは最も根強いものであって、人生を空しく習癖のために空費して終わるようなことがある。間食癖のために身体を害し、窃盗等の因をなすに至るのである。また手淫の有害なるは言を俟《ま》たないことである。また酒を呑んで頭脳を休めるなぞと考えるのは誤りである。酒によって頭脳は麻痺するのである。そして漸次〔次第に〕頭脳を傷害していくことを忘れてはならない。次に喫煙、これは前者以上に強烈な悪癖で、終身免れることのできない奴隷となってしまわなければならない。

身体の欲求と心

以上述べた諸種の悪癖欲を征服して身体の主人公を全うしなければならない。これらの欲を逞しくする国家はついに滅亡という悲境に遭遇せねばならない。

修養ということは克己によって始まるのである。われわれは努めて身体の欲求を制御してこれに打ち勝って自ら身体の主人となり身体を自由に使っていかなければならない。この目的を達するには、すべからく克己の修養に朝夕怠りなく、卑陋なる欲求を鎮圧することに努めなければならない。

また同時に、われれは身体の主人公である、身体は単に自分の目的活動を遂行する上においての道具である、卑劣なる欲望は身体から起こるのである、自分たる者どうして身体の妄動に対して従わんと、常に念じて、おのれに克つ修養を怠ってはならない。かの曹洞宗において名高い西有《にしあり》禅師が痢病にかかられた時に泰然として書物を著し、日置《ひおき》禅師が腫物ができた時に医師の勧めた麻酔剤を除けて結跏趺坐《けっかふざ》平然とし手術を受けたごときは有名なる話である。智者はかくのごとく心をもって身を率い、自ら身体の主人公となって修行したのである。

ゆえに修養の二歩として、心をもって身体を自由に引きまわしておのれに勝ち、自体の主人となるということであるのである。

無自性不可得なる心の流れ

次に修養の三歩としては〔一歩：おのれを主人公とする、二歩：心を主人公とする〕、われわれが同心の主人公となるにあるのである。心は実に微妙なものであって、ややもすれば心みずから心を惑わして、ついには迷いに迷いをかさね、心みずから心の活動を左右することができず情緒の紛乱を来たすことが多い。

いくたびか　思いさだめて　かわるらん

頼みがたきは 心なりけり

とあるごとくに、心というものは一時も定まっているものではなくて、刹那刹那に移りゆくものである。意義は水に喩えられて、意識の流れとさえ言われている。とにかく心ほど変わりやすいものはない。この変わりやすい心を静めて自ら心の主人とならなければならぬ。心は大海のようであって喜怒哀楽の波乱が多いからして、信念という羅針盤をもって覆没しないようにしていかなければならぬ。

全体われわれの心というものは、これを積極的に言えば、道徳円満なる仏徳を具有しているものので、少しの損失はないものである。またこれを消極的に言うならば、心は無自性《むじしょう》不可得なもの〔実体がなく認識できないもの〕で、奥底には一点の黒雲も宿らぬものである。この白紙のごとき霊鏡のごとき心も修養次第、向上努力次第に養となり聖となり悟となるのである。かくのごとく心の欲する放逸妄念〔勝手気ままなだらしなさをもたらす迷いの念〕の風を止めて情緒の波乱を静定することが大切である。

むかし盤珪《ばんけい》禅師のところへ一人の僧が来て言うには、

「某《わたくし》は生来短気で困りますが、なにとぞ禅師よりご乗戒をいただきまして短気の起こらぬよういたしとうございます」

とのことであった。盤珪禅師はこれに答えて言わるるには、

「その方はまことに好いものを持って生まれてきた。短気は生まれつき持っているとは近ごろ珍しいことである。ではその短気を少しここへ出してみなされ」

と言った時にその僧は、

「短気はただ今は出ませぬ。しかし時に臨んでチョイチョイ出るので困ります」

と言う。時に禅師は笑って言われるには、

「それ見よ、短気はその方の生まれつきではない。生まれつき持っているものは何時でも出される。手は生まれつき持っているから何時でも出される。足も生まれつき持っているから何時でも出される。その方の短気は目下の人に対しては出さるるが、目上の人に向かえば出ぬであろう。それは生まれつきの短気ではない。わがままというものである」

と示された。

怒ったり、恨んだり、愚痴をこぼしたりするのはみな利己的欲望が基となって起こるものであるから、これらは私利という欲心さえ制していけば、おのずから消滅するものである。

われわれはちょうど吝嗇なる老婆が、不要な雑物を捨てるのを忍びないこととして、何でもかでも沢山に貯えているように、精神中に不要なものを貯えておいて始終これに悩まされていたならば、愚の骨頂と言わなければならぬ。例《れい》せば、過去の失敗を追想したり、過去の屈辱を想い起こして憤ったり、遠い未来のことを取り越し苦労したり、病気にもならぬのに重病のように思ったり、根もないことに対して疑い惑ったり憤怒したりして、不要な妄念を常に大切に持っていて心を乱して平静を得ることができない。

大獅子吼

われわれが精神を廓清《かくせい》〔悪いものをすべて取り除き清めること〕して自ら主人公となるには、心の主人公を覚醒せねばならぬ。心の主人公が眠っているようなことがあると、その眷属であるいろいろの念想が自分の向かう方に活動して心の平均を失うということになるのである。これ霊明なる心の主人公、すなわち仏性、法性、あるいは大和魂、あるいは至誠と言葉はちがっても、主人に変わりはない。その主人公が覚醒していれば、いかなる盗賊、いかなる魔物といえども決して入ることはできないのである。

また自ら心の主人公となることのできない者は、人の主人公となることはできるものでない。しかして主人たることのできない者は遂には身を危うくし家を亡ぼすに至るのである。

要するにわれわれが心中の主人公たる霊性を覚醒して一切の妄念を掃《はら》い尽くし、精神をもって身体を引率して物欲を征服し、自ら外物の主人となって、自己の運命を開拓して安心立命〔心を安らかにして乱さないこと〕の地に達するのが修養の目的である。

日本婦人道

婦人と貞操問題

仏教は婦人に対していかなる味方をなし、いかに眺めているか、いかに教えているかを少し述べてみようと思うのであるが、その前に従来と現今との日本の婦人のいかに心持ちが変わってきたかをお話しすることにする。

一体、日本婦人の最も貴い点は何かと言うに、言うまでもなくその純潔なる貞操にあるので、貞操は実に女の至宝であって、これ以上に貴むべき宝はないのである。ゆえに、かくも貴むべき宝であるからには、いかなる婦人でもこれを守らないはずはなく、また誰でも固くこれを守っているべきはずのものである。しかるにそれがどうしてこの頃世間で危ぶまれるようになったのであろうか。これは畢竟《ひっきょう》、婦人の貞操が危険の状態に迫ったために、世間ではこれを心配されるのであろうと思われる。

しからば、どうしてこういう風に婦人の貞操が世間で危ぶまれるようになったかということ

を考えてみるに、ある学者は、

「これは生活難の結果である。世の中の生活が難しくなったためである。特にこの問題の気遣われるのは、生活のために職業に就いておる婦人である」

と言われたが、これは確かに一面の真理である。けれどもいかに生活難が烈しいからといっても、そのために貞操の至宝を穢して差しつかえないという理由はない。むかしある人が、

「人は餓死してもなお貞操を全うせねばならぬか」

ということを程伊川《ていいせん》という人に聞いた時に、伊川先生は、

「餓死は一時のことであるが、貞操は永久のものである」

と戒められたということである。さればいかに苦しい生活難といえども、これを永久の恥となるところの破倫の罪の重きに比することはできない。

「過っては改むるに憚《はばか》ることなかれ」

と『論語』には言ってあるけれども、いったん傷ついた以上はたとえ改めたからといって無垢のむかしに返ることはできない。何か過ちをしたら、その時に改めさえすれば構わないではないかという風で、危険に近寄ることはまことに思慮を欠いたことと言わねばならぬ。

どうせお互いはせっかく人間と生まれて来たからには、世の中を苦しまないで行きたいものである。昨日も心持ちがよかった、今日も心持ちがよかったというように、毎日気持ちよく行きたいものである。しかるに、もしお互いの心に少しの疵《きず》でもあったならば、この純真の歓びは到底得られぬのである。まこと私どもに心から喜びを奪うものは、この心にわだかまる疵である。

されば婦人は美を尊び、端正を欲するものであるが、単にその外形のみの美を好んで内向の端正をゆるがせにする時は、いたずらに虚栄を貪り、虚飾に誇り、ついにはその実徳を喪失するに至る。あるいは一時の過失からにもせよその貞操を破り、それがために永久の幸福を失うようになるということは、到底堪えることのできない損失であろうと思うのである。

真の貞婦たるものの資格

釈尊ご在世の当時、王舎城《おうしゃじょう》〔古代インドの都ラージャグリハ〕に妙意《みょうい》という面貌うるわしい童女があった。天性の聡明はわずかに八歳で釈尊に種々の法門を尋ね、ある時、「いかにせば端正なるを得ん」との問いを発したのである。釈尊はこれに答えて、「四法を成就せば端正の身を受くべし」と言って、つぶさに四法をお説きになられた。すなわち、

(1)悪友のところにおいて瞋心《じんしん》を起こさず

悪い友に出逢っても腹を立てぬというのであるから、善い友達に対しては猶更のことである。極言すれば、いかなる場合でも腹を立てるなという戒めである。

元来この世の中は自分が注文して造ったものではなく、お互いはできている世の中に頭を出してきたのである。しかも赤体《はだか》にして寸線を懸けず、空手《くうしゅ》にして一粒を握らず、まったく父母等の深く厚い恵みによって人となることができたのである。しかるにこのことを思わずして、何事も思う通りになるようにと願い、少し気に入らぬことがあればすぐ癇癪を起こすというのは、決してその身を守るゆえんではない。さればこの世界を娑婆とも称して、娑婆は梵語、訳して忍土《にんど》と言う。忍土とは堪忍世界ということで、法華教には忍辱《にんにく》の衣《ころも》と説かれて、すなわち精神上最好の美服は堪忍であるとの意である。

ゆえに家康公は、

堪忍は無事長久の基《もとい》。

と言い、蓮如上人は、

堪忍は生涯の守り本尊、短気はわが身の腹切り刀。

と言われた。この堪忍の着物さえまとっていれば決して永く品性の美を失うことはないのである。

(2) 大慈《だいじ》に住す

大慈とは広大の慈悲心で、公平に親切を尽くすことである。どんな人間であっても慈愛の心を持たない者はないのであるが、ただその慈愛の心の中に、利己的の欲望が混じるから偏頗《へんぱ》〔かたよって不公平〕な愛情に陥る。すなわち生みの児のみを愛して継児を疎外するとかいうように、公平を失することがある。かくのごときは決して自他に幸福を増進することはできないものである。

一度この偏頗なる愛に囚われると、一面には嫉妬とかあるいは怨憎《おんぞう》というような心が起きてくる。また世の中には親や兄弟を粗末にして猫とか犬とかを可愛がっている人がある。そうかというと無益の骨董を愛して祖先伝来の財産を消費するような人もないではない。これらを転倒の愛と言うのである。大慈は偏頗でなく、転倒でなく、公平でなければならぬ。

ことに年若き婦人にあっては、とかくこの偏頗の愛に陥りやすい。十種香《じしゅこう》〔浄瑠璃の演目のひとつ〕について、かの八重垣姫のごときは、勝頼を愛したるの結果は父親の不利益を顧みずに諏訪法性の兜を盗みだし、場合によっては父の首も刎《は》ねかねまじき勢いであったという。八重垣姫はまさにこのとき偏頗な愛に陥って、親殺しと盗人をはたらく鬼女と化し去ったのである。恐ろしいことである。ゆえに大慈は、誠実にして道理に反せず、しかして〔そうして〕よく近きより遠きに及ぼし、人間は言うに及ばず鳥類畜類までも慈愛を施すところの徳である。

思うに慈愛は人間の生命であって、いかに偉い人になろうとも慈愛のない人は決して人間の実徳ある者とは申されぬ。まして婦人にとっては慈愛をもって生命とせねばならない。元来人情の中には「ありがたい」と感じ、「かわいそうな」と感ずる情がある。これがすなわち大慈のもとで、ありがたいと感ずるから真心をもって君〔君主・主人〕にも親にも尽くすようになり、かわいそうなと感ずるより他人にも動物にも親切を施すようになるものである。

端正の儀容と美徳

(3)深く正法を楽しむ

これは道を守り善を楽しむことである。堪忍強く愛情いかに濃《こま》やかでも、道徳に反したり善法に反したりしては何の役にも立たぬから、日々夜々に徳を修め善を行うことを心がけねばならぬ。道を忘れては人としての価値はなくなる。

人の道を大別して世間道と出世間《しゅっせけん》道とすることができる。世間道は人として為すべき道、出世間道は仏教信者すなわち仏の御弟子として勤むべき道であって、さらに言えば世間道の基は忠孝の二つで、出世間道の基は信心である。すなわち内に信心を養い、外に忠孝を励む、これ人道の大本であるから、よろしく心掛くべきである。

(4)仏の形像を造る

これは少し変わった仰せであるが、これを今日の仏教的道徳に引き当て申せば、つまり宗教的事業をせよという意味に見ることができようと思う。仏の形像を造るとは、仏像を安置して世間一般の信仰を誘致し、自他とも大安心を得るを期するのである。ただ今では寺もあり仏像もあり、各自の家には仏壇あり仏画像もあるから、改めて余計なものを新調するにも及ばないが、その代わりお寺をお寺のように善用し、仏壇を仏壇のように取り扱うことが大切である。寺詣りは嫁の悪口をつくに行くお婆さんやお爺さんばかりの集会所ではない。老人よりも若い人の精神修養所であるから、ときどき寺に詣でて仏の教えを聞き、もって自己の信念を養い、立派な仏教道徳を日常生活の上に発揮してその心立てを麗しくせねばならぬ。

われわれの信仰が精神上の基礎となって、その信仰の上から実生活における万般の活動を起こすようになれば、それが取りも直さず活きた仏像である。以上の四徳の名を替えれば、忍耐と慈愛と道徳と信仰ということになる。

忍耐によって人は万事にやさしくして争わず、慈愛あればすべてに親切にして情け深く、道徳あればその心善良にして行いに過ちなく、信仰あれば心おのずから安らかにして楽しみが窮まりない。この四徳を修める時は、心も行いも正しして、儀容〔礼儀にかなった姿や態度〕乱れず顔色和らぎ、立ち居振る舞いも立派なものになるから、かくして真に端正なる美徳を発揮することができるのである。

儒教より観たる婦人道

儒教では『女誡《じょかい》』という書物の中に、

聖人陰陽を立つ、夫は再び娶る誼《ぎ》あり、女には再び嫁ぐ誼なし。

とあり、またその他に夫を天に喩え、婦を地に喩えて、夫を所天《しょてん》〔仰ぎ敬う人〕という。すなわち「天とする所」ということである。戴く天に二日なきをもって婦は両夫に見ゆる〔再婚する〕

ことを許さないとしてある。また『女大学《おんなだいがく》』〔江戸時代の女子教訓書〕には、婦人は別に主君なし、夫を主君と思えという意味の語があって、すなわち女子の弱点を教えたものである。

女は一家の女王である。交際場裏《じょうり》〔社交場〕の花であると言えば扇動したようにも聞こえるが、今の若き婦人は得意になって喜ぶところの言葉である。近頃は自然主義的の女子が跋扈して、あるいは演説をしたり、雑誌を出したりして、いわゆる新しき女とかいうものが頻りに風教〔風習〕を破るような言動をなすがごとき、実に慨嘆に堪えぬ次第である。

元来日本の婦道婦徳という点に至っては実に世界無比であって、古来、松下禅尼《ぜんに》、細川忠興《ただおき》夫人、山内《やまのうち》夫人等の、良人のためには貞烈、主君のためには忠烈という毅然たる美点は実に西洋婦人等には見ることができまいと思う。しかるに今日、この凜然として侵すべからざる、朝日に匂う山桜のような高尚優美なる日本婦人の国粋的美点を失って、多くの婦人は無闇に新しがり、虚栄に走る弊がある。これは、自己の価値というものを少しも考えずに、ただ訳もなく世間の流行のみを追っていきたがるので、柄にもない華美なる生活をしていたならば、いつかはどこかに必ず大なる欠陥を生ずるようなことになるのは分かりきったことである。これらはつまりは自家の妍醜《けんしゅう》〔美醜〕を知るだけの方寸〔胸の中〕の鏡が磨かれていないからのことである。

ゆえに孔子もいわゆる女子と小人とは養い難しと言い、またこれを近づければ不遜、これを遠ざければ怨むと言うも、婦人の弱点を挙げたもので、また『大戴礼《だいたいれい》』には七去《しちきょ》ということを説いてある。

一　姑に従わざる者は去るべし。
二　子無き者は去るべし。
三　淫乱なれば去るべし。
四　嫉妬心深ければ去るべし。
五　悪疾なれば去るべし。
六　多言にして慎まざれば去るべし。
七　盗心あれば去るべし。

それでいまお話ししたことは儒教の方から見た婦人であるが、さらにまた仏教に戻ると、『玉《ぎょく》耶女経《やじょきょう》』という小乗教のお経がある。（一体仏教には小乗教と大乗教との別によって、その説き方は異なっているが）さてその玉耶女経にはいかに婦人を説いているかを、次にお話ししようと思う。

大小乗教に現れたる婦人道

玉耶女《ぎょくやじょ》は須達《しゅだつ》長者の嫁であって、絶世の美女とも言うほどであったが、いかんせん心に貞と孝とを欠いていたので、仏に乞うて玉耶女を教戒していただいた。それがすなわち『玉耶女経』である。仏これがために説いた大要は、

一　形の美

二　心の美

との二つであって、形の美は衰えやすく、いかにきれいな容色をもった婦人でも日月の進行とともにいつの間にか紅顔は変じて白髪の老媼《ろうおう》〔老婆〕となる。またやむを得ぬことと言わねばなるまい。それに反して心の美を持つときは、年月とともに、経験とともに精神の美が増していくのである。極言すれば、いかに形が美であっても心が美でなければ美人でないということを説かれた。

さらに『六方礼経《ろっぽうらいきょう》』には、男と女とはどちらが尊いとも卑しいとも言うべきではないと言って、夫婦相敬愛せよとある。すなわち夫の婦《つま》を視るの五事、婦の夫に仕えるの五事とがあって、これ

を次に記せば、

夫の婦を視るに五事あり。

一　出入当《でいりとう》に婦を敬うべし。

二　これに飯食せしめ、時節をもって衣被を与うべし。

三　まさに金銀珠璣《しゅき》を給すべし。

四　家中所有者の多少はことごとく用いてこれに付すべし。

五　外において邪に傳御《ふぎょ》（妾）を蓄うことを得ず。

婦の夫に仕えるに五事あり。

一　夫、外より来たらば、直ちに起ってこれを迎うべし。

二　夫、出でて在らざれば、直ちに炊蒸掃除してこれを待つべし。

三　心を外の夫に淫することを得ず、罵詈せられるも誹りを還して色をなすことを得ず。

四　直ちに夫の教戒を用うべし、所有の什物は蔵匿するを得ず。

五　夫、休息せば、善く蔵《おさ》めてすなわち臥することを得。

とあって、ことに今日の時代は文化の進展に伴って社会の組織はいよいよ複雑に、生存競争はいよいよ激烈に、生活の困難はますます加わってくるというありさまであるから、一層切実にこれらの資格を備えた善良なる婦人を要求することになっているのである。

さらに大乗仏教においては、精神的に第一義諦《だいいちぎたい》〔世俗を超えた絶対の真理〕から論ずるから、全く男も女も差別《しゃべつ》を認めないということになる。道元禅師が『正法眼蔵《しょうぼうげんぞう》』礼拝徳髄《らいはいとくずい》の巻に示していわく、

正法眼蔵を伝持せん比丘尼は、四果支仏および賢一聖も、来たりて礼拝問法せんに、比丘尼この礼拝を受くべし。男子なにをもてか貴ならん。虚空は虚空なり、四大は四大なり、五蘊は五蘊なり。女流もまたかくのごとし、得道はいずれも得道す。ただしいずれも得法を敬重すべし。男女を論ずることなかれ。これ仏道極妙の法則なり。たとい百歳の老比丘なりとも、得法の男女に及ぶべきにあらず、敬うべきにあらず。仏法を修行し仏法を道取せんは、たとい七歳の女流なりとも、すなわち四楽の導師なり、衆生の慈父なり。たとえば龍女成仏のごとし。供養恭敬せんこと、諸仏如来にひとしかるべし。これすなはち仏道の古儀なり。外道も妻なきあり、妻なしといえども仏法に入らざれば、邪見の外道なり。仏弟子も在家の二衆は、夫婦あり、夫婦あれども、仏弟子なれば人中元上にも肩をひとしくする余類なし。

また唐国にも愚痴僧ありて、願志を言するにいわく、生々世々ながく母人をみるにとなからん。この願なにの法にかよる、世法によるか、仏法によるか、外道の法によるか、天魔の法によるか。女人なんの咎がある、男子なんの徳がある。要人は男子も要人なるあり。善人は女人も善人なるあり。国法をねがい、出離を求むる。必ず男子女子によらず、もし未断惑の時は、男子女子おなじく未断惑なり。断惑証理の時は男子女子簡別さらにあらず。またながく女人を見ずと願せば、衆生無辺誓願度のときも、女人を捨てるべきか。捨てては菩薩にあらず、仏慈悲といわんや。ただこれ声聞の酒に酔うこと深きによりて、酔狂の言語なり。人天これを真と信ずべからず。またむかし犯罪人ありしとて嫌わず、いっさい発心の菩薩をも嫌うべし。かくごとく嫌わばいっさい皆捨てん。何によりてか。仏法現成せん、かくのごとくの言葉は、仏法を知らざる痴人の狂言なり。かなしむべし……

これを要するに、男でも迷えば凡夫で、悟れば聖者である。すなわち徳道成仏の一点に至っては、男女の差別を認めず男女同等と観るのである。

時代に要求される賢母

わが日本の婦人道は古来から、神儒仏の三道を打《う》して〔三道をあわせて〕一団としたる大和魂の発揮したるものである。大和魂の男性的に発揮したるものは武士道で、それが女性的に発揮したものが日本婦人道である。かくのごときは、すでにすでに〔まったく確かに〕日本婦人の充分に心得ているはずであろうと思う。またこの自覚——観念は始終頭の中に彫り付けているべきである。

いまさら言うまでもなく、家庭の中心となって家政を処理し、子女を養育し、奴婢を使役していくものは主婦たる者の務めであるから、善良な賢母な主婦のある家庭は家政が整頓し、子女の教育も奴婢の使役もよく行き届いている。まこと主婦の任は重かつ大なるものと言うべきである。

この主婦という言葉は、家庭という共同団体から見て称するものであって、これを子女の側から言うとすなわち母である。賢母なるところには良子女があるがごとく、すなわち家庭教育の責任者は母であると言わねばならぬ。ゆえに西洋の諺にも、

親になることは易し、親らしき親たることは難し。

と言ってある通りで、実際世間には、子供を育てていくとか、あるいは教育するとかいう点については少しの知識もなく、また何の準備もないのに極めて無造作に親となる人が少なくないようである。けれどもこれがために、いろいろの不良なる人間ができて、社会は少なからぬ迷惑を受けることになるのであるから、相なるべくは親らしき親となるだけの資格があって初めて親となるようにしたいものであると思う。

前にも言ったように、主婦は家庭の中心ともなるべきものであるから、子供の教育上にとっても、父親の方よりも母親の方が最も大切なので、母親の善悪はそれがただちに子供の将来の善悪に関係するのである。されば真に親らしき務めを全うし得るところの母親となることは非常に困難なることである。むかしのように極めて単純であった世の中で、いずれの方面に向かって子供を放任しておいても大した危険はないという時代であれば多少油断のできる点もあろうが、今日のごとき複雑なる世の中となって、至るところに恐ろしい誘惑の陥穽のあるという時代に処して、子供の精神に確乎不抜の道義的精神を植え付けていこうというのは実に一通りの困難ではない。

けれどもこの困難と戦って子供を育てていくところに母の尊さがあるのである。『心地《しんじ》観経《かんぎょう》』

には母の十徳ということを説いてある。すなわち十徳とは、

一　大地と名づく。（母の胎内より欲するところを為すがゆえに）〔『心地観経』の記述は「母胎中を所依（拠りどころ）と為すがゆえに」〕

すなわち男女ともに十カ月間は母の胎内に住まっているのであるから、母の欲するところのことを為すは〔拠りどころとなる母の胎内は〕、あたかも大地の草木に対するがごとくで、大地無くんば草木は生長せず、ゆえに人間は母無くして生まれ出ることはないのである。

二　能生《のうしょう》と名づく。（衆苦を経歴して、よく生ずるがゆえに）

母の受ける十カ月間の行住坐臥〔日常の立ち居振る舞い〕にする苦悩はとても口にも述べられない。諸々の苦しみを受けて昼夜に憂い悩む。産に臨んでは百千の刃で屠《ほう》り割くがごとく、あるいは無常を致して死するものもある。

三　能正《のうしょう》と名づく。（常に母の手をもって五根を理《おさ》めるがゆえに）

母は生まれた子を懐抱して眼耳鼻舌身の五根の形を注意してくださる徳である。

四　養育と名づく。（四時のよろしきに従って、よく長養するがゆえに）

ついには母の胸臆より甘露を出す、長養の恩は天にわたる、憐愍《れんみん》〔憐憫〕の徳、広大にして比

ぶなしと説かれてある。
五　智者と名づく。（よく方便をもって智恵を生ずるがゆえに）
おのれは、子の智恵の発達成長はまったく母の智恵によるもので、幼年の間は母ほど物知りはほかにはないとの信仰は何でも母に質問するがごときそれである。
六　荘厳《しょうごん》と名づく。（妙瓔珞《ようらく》をもって厳飾《ごんしょく》するがゆえに）
母は自身の衣服などには一切関せず、ただただ、わが子の身の回りにのみ注意してくださる恩徳である。
七　安穏《あんのん》と名づく。（母の懐抱をもって止息となすがゆえに）
八　教授と名づく。（善巧方便して子を引導するがゆえに）
九　教戒と名づく。（善言辞をもって悪を離れしむるがゆえに）
十　与業《よぎょう》と名づく。（よく家業をもって子に附嘱するがゆえに）
以上約言すれば、すなわち母は子女を懐胎してこれを産み落とし、これを正路に導き、これを育て上げて衣食を供し、その智能を啓発し徳器《とっき》〔徳と才能〕を成就し、これに無限の慰藉《いしゃ》〔慰めいたわること〕を与えてくれるのである。ことに女は情に厚いものであるから、幼少な子女にとっては無二の頼りとなるのである。父のみでは物が理屈に陥って事が円滑に運ばぬ嫌いがあるから、家庭にはぜひとも慈母が必要なのである。

真の慈愛と賢母

子供を取り扱うことについて、近ごろ最も誤った方法であると思われるのは、自分の子供に何ひとつ不自由な思いをさせぬように、何事も子供の要求するままにしてやるのを、母親としては最上の慈愛を注いでいるもののように信じていることである。ところがこうした風に少しも不自由ということを知らずに、人間万事ことごとく自分の意のままになるものとのみ心得て育ってきた者が、確かに広い社会に送りだされた場合には、今まで慈愛深かった母親の手もとにあった場合と非常に調子が変わっていて、なかなか自分の思い通りにはいかぬことに驚いて、むしろこれまでの母親の慈愛がかえって恨めしくなり、今すこし厳しく育ててもらったならばこうでもなかったろうにと感ずるようになってくる。こういう育て方の母親は決して賢母とは申されない。古来の聖賢君子や英雄豪傑には賢母の感化を被って奮起した者が少なくない。

誰も知る西有穆山《にしありぼくざん》禅師は明治年間における有名な知識〔知恵と見識をそなえた人〕であったが、

その発心の動機については慈母の感化によることが深いのである。

禅師の生国は青森県八戸在港村で、九歳の時その母に連れられて願栄寺という真宗の寺に参詣せられたことがある。あたかもそのとき地獄極楽の図が懸けてあるのを見て、幼い禅師は、

「どんな人が地獄に行きますか」

と問われた。母は何気なく、

「お前のようないたずら者が行くのです」

と答えると、禅師は重ねて、

「それではお母さんはどこへ行くのです」

と尋ねられた。

「お母さんはお前たちを可愛がって、知らず知らず罪をつくるから、やはり地獄に行きます」

との答えを聞いて、禅師は子供心に不審を起こして、

「私はいたずら者だから地獄に行き、またお母さんは私らを可愛がって罪をつくるから地獄に行くとすると、極楽へは誰が行きます」

と追及せられた。母は、

「お前が尊い和尚さんになれば、両親はもちろん親類までも天に昇ります」

と答えられた。これを謹聴していた禅師はにわかに菩提所長流寺の金龍《こんりゅう》和尚に赴いて得度《とくど》〔剃髪出家〕し、長じて江戸駒込吉祥寺の学寮に入って学問を遂げられ、いったん帰郷した。ところが母親はさぞかし喜ばれるであろうと、思いのほか、

「お前は少しばかりの学問をして、もう帰ってくるとは何ごとです」

とひどく叱られた。そこで再び行脚の途に上り、小田原の海蔵寺で前後十三年間苦修せられ、爾後《じご》〔それ以後〕宗門のため国家のため大いに尽くされたので、これ賢母の懇切なる訓戒の賜と言わなければならぬ。

されば柔弱に、放縦に、怠惰にそして結局何の役にも立たないような育て方をするよりは、どんな厳しい方法の下にでも、他日社会の戦場に送り出すことのできるように育てるのが、真にわが子を愛するというものである。

子女の信用と賞罰

子供を厳格に育てようというのには、その母たる者の言行もまた極めて厳格でなくてはなら

ぬ。中にも子供に約束したことは必ずこれを遂行いたさせなくてはならぬ。ある時は賞を約して子供の善行を奨励し、またある時は罰を約して子供の悪戯を禁止するにかかわらず、その賞も時としては実行されたりされなかったり、罰も励行されたりされなかったりという風であったならば、子供は母親の言葉を信じなくなる。そして一度子供の信用を失えば、やがてはすべてのことに信用を失って、いかにしてもそれを回復することができなくなってしまうものである。

しかしながら、ここに注意を要するのは、単に子供に対して罰するがために罰するというのは何の役にも立たないのである。何らの目的もなしに、ただ子供が悪いことをしたから罰するというのは決して親のとるべき罰の方法でない。すなわち親たる者は、子供が悪いことをして悪い結果を得ることのないように罰を感じさせるのが必要である。これにはぜひとも教育の意味が含まれていなければならない。

またあるいは、子供が非常に悪いことをしたならば親は立腹しても差しつかえないが、しかし子供に、自分が悪いことをしたからその悪い行為に叱られるのだと思わせるのが必要である。また前述の通り、子供にだらしない自由を与えるのは危険であるが、鞭を怖れ縄を怖れるという習慣をつけて、臆病者や偽善者にするのは無論避くべきである。

これを要するに、今日の時代が要求するところの母親となるには、常に献身的努力を傾注するという覚悟をもって、変に応じ機に臨んで油断なく母親としての準備と修養とを怠らぬようにいたせねばならぬ。しかして今後は大いに国家的立場と世界的立場とを考察して、東西古今の婦人道の長所美点を集大成して、従来の日本婦人道より、多く一層の精彩を加え、一段の光輝を発するようにいたしたいものである。

女丈夫の亀鑑重成の妻

さて最後に臨んで日本婦人道の亀鑑《きかん》〔模範〕とも言うべき、かの有名な木村重成《しげなり》の妻白妙《しろたえ》のお話しをして、いよいよこのお話を大団円にしたいと思う。しかし話を白妙婦道にもっていく前に、その夫重成の性格とその当時の事情をお話ししなければならぬ。

頃は慶長十九年、大坂冬の陣からで、豊臣秀吉公の後嗣秀頼公が方広寺を修繕されたとき。大釣鐘を造らしてその銘に「国家安康」の文字があったため、これは家康を呪ったものであるという言いがかりから遂に戦争になったのである。当時、徳川家の勢いはほとんど当たるべからざる〔向かうところ敵なしの〕ものがあったが、一方豊臣氏は孤城落日の感無き能《あた》わざる〔孤立・衰亡の感が否めない〕ものがあった。実に豊臣氏は風前の灯火である。けれどもここに秀吉が心をこめて造った大坂城の濠は深く石垣は高く、要害堅固〔地形がけわしく防備がかたいこと〕であったため、さすがの関東勢も手の下しようもなく、ことに今福方面においては木村長門守重成の奮戦がものの見事に家康公を悩ませた。そこで家康も案外〔意外〕の思いなして和睦の使を城内に送った。

そしてその年の十二月にいよいよ談判がまとまって契約書を交換することになったのである。かの木村重成の有名な茶臼山の談判とはすなわちこのことである。この時の重成はまだ二十二歳の青年であった。

家康の陣屋においては、鬼をも取り挫くような三河の荒武者がズラリと並び、こんな男が使者に来るかと待ち受けている。

重成は陣屋の入口で馬をおり、袴の裾をかるく捌いて優々と歩み、幕の中に星のごとく並んでいる荒武者をズーと見渡してかるく会釈し、

「和睦のご起請文取り交わせの使者として木村長門守罷《まか》り出で候、いざ」

とばかり持参の契約書を差し出した。家康はさも満足げに微笑を湛えながら、それを受け取り、

「ご使者ご苦労、さてはその許は常陸介《ひたちのすけ》殿のご子息か、いかにもよく似てござるわい。して御年は何歳でござるな」

「二十二歳にあいなりまする」

「それでは、右府（秀忠）と同年じゃ。先般今福においてのご勇壮には天晴れ心服いたしましたぞ。さてさて秀頼公はよきご家来を持たれて幸せじゃ」

としきりにおだてて、肝心の自分の方の起請文を出しそうにもない。そこで重成は凜然として、

「まず役目の用事をお済ませ願いとうござる」

と契約書を催促すると、

「よしよし」

と肯《き》いて、ようやくのこと誓書を出した。重成は誓書を取って一目みると、定まりの通り終尾の方に家康という血書がしてあるが、この血判は極めて薄い。そこで重成は、

「はなはだ恐れいりまするが、淀殿は婦人ゆえご血判に疑いをはさまぬとも限りませぬから何とぞ拙者の面前にて今一度ご血判くださりまするよう」

列座の面々はその大胆に驚いたが、泰然として落ち着きはらっている重成の態度に感じ入っ

て、一言も発しない。家康は不承不承に針で指先を刺して血判をし直した。重成は丁重に礼を述べて退出いたした。

さてこの時の講和条約は、豊臣方は城の外濠を埋める、徳川方は伊勢大和の土地を与えるというのであったが、徳川方の人夫は翌日からさっそく土や石を運んで濠を端からどんどん埋めてしまい、ついには内濠までも埋めかけた。豊臣方はそれでは約束が違うというので怒り、ここにまたまた争いとなったのである。これがその翌年の夏のことなので大坂夏の陣と言うのである。しかしこのたびは要害の外濠が最早なくなっているから落城は見えている。

五月五日、重成は明日こそいよいよ戦死と覚悟を決めたが、さて美しい優しい妻の顔をみてはさすがに勇気も鈍ろうとする。重成の妻白妙は真野豊後の守頼包《よりかね》の娘で、今年まだようやく十八歳の花の盛りである。十六のとき重成に嫁いだのであるが、生まれつきの美貌に怜悧な性質、底には確乎した精神をたくわえて外面は真綿のごとく柔らかく、げに〔まことに〕心も姿も揃っての美人であったから、重成があわれを感ずるも無理のないことである。さて夕飯の時刻になったが重成は、

「欲しくない」

と言って箸を取らない。夫人は覚りの早い人であるから、このとき良人の戦死の覚悟もすでにそれと察した。もしも良人の勇気が自分ゆえに鈍るようなことがあってはならぬと思い、

「去年今福の戦争の折、あなた様のお働きは関東方五十万の軍勢を驚かせたではござりませぬか。けれども移りやすきは人心、果たしがたきは死なりとかや。死ぬべき時に死なざれば死ぬるに勝る恥ありとは、かねてからのあなたのお話。今宵、食事をお断ちになってご心配げに見上げられますするのは、もしやご決心がお鈍りになったのではございませぬか」

これを聞いた重成は翻然として勇気を快復して、にこっと微笑を浮かべ、

「心配には及ばぬ。かつて後三年の戦いには末割四郎《すえわりしろう》と申す者、朝飯が喉にあったため傷口から飯粒が出て見苦しかったとやら、左様な恥を遺さぬよう、わざと控える所存、心配いたすな。明日は早朝出陣いたすゆえ、そろそろ準備をととのえよう」

と言って風呂に入り、髪を洗って香を焚かしめ、心地すがすがしくなったので、この世の名残にと江口の謡を一曲うたい、小鼓を打って心を天外に馳せらした。何というやさしい、しかも落ち着いた態度であろうか。

妻は良人の決心を見て安心したが、良人亡きあとは自分ひとり生き残って何かはせん、いっそ

自分が先に死んで、良人に心残りのないようにし、明日華々しき戦いをさせるがせめてもの望みと、おのれが部屋に退いて一通りの遺書をしたため、秘蔵の懐剣でみごと自害し果てた。その書き置きを示せば、

書き置きのこと

一樹の蔭、一河の流れ、これ他生の縁と承り候にこそ、そも一昨年よりして偕老の枕をなし、ただ影の形に添うがごとく思い参らせ候。このごろ承り候えば、この世限りのご催しの由、蔭ながらうれしう存じ参らせ候。唐土の項王《こうおう》とやらんは、世に猛き武士なれど虞氏《ぐし》のために名残を惜しみ、木曽義仲は松殿の局に別れを惜しみしとやら、されば世に望み窮まりたる妾が身にては、せめては御身御存生のうちに最後をいたし、死出の山とやらにて待ち上げ奉り候。必ず必ず秀頼公、多年海山の鴻恩ご忘却なきよう頼み上げ参らせ候。あらあらめでたくかしこ。

妻より

長門守さま

さて翌日、重成は若江付近において徳川の勇将井伊直孝の大軍と血戦して華々しい戦死を遂げた。重成の首が伝えられて家康の前に実検せられた時、頭の髪がまだ香ばしかったので、「さても優しい武士よ」と、家康もひたすら感に入られたということである。

宗教と科学

大疑と大悟

いにしえより宗教と教育、宗教と科学は互いに衝突し反目して相容れないように誤解されていたことは顕著なる現象である。しかして学問と宗教とは必ず相伴わぬものかと言うに、西洋の宗教においては学問と関係を絶って常に反対の地位に立っているが、わが日本の宗教は、先祖代々より上は天子、下はわれわれ臣民に至るまで皆ともに信仰し来たった仏法であって、その仏法は学問の道理を基礎としてできた宗教である。すなわち教育学問は一方に宗教を待って〔頼りにして〕立派な人間を作ることができるし、また宗教は一方に学問を待って初めて完全な信者ができるのである。

学問の方の側では無論、情とか意とかの修養をも施すのであるが、まず主としては知識の養成である。時間の分量から言っても情の分量は極めて少時間である。知識の方の側からして自然に情意の修養もいくらかできるのであるが、しかしそれは知識がよほど進歩した上のことである。

要するに完全の人格となるには、知識はもちろん必要であるが、自身の感情や意志をよく整理することは極めて必要なことである。それには自らを深く反省しなくてはならぬ。すなわち人間以上の見ることも聞くこともできない、しかも広大無辺の慈悲をもって、自らを照覧し監視する御方があるという観念に住しなくてはならぬ。援護者 監視者の心をもって自らを比較対照する心持ちがなくては、深刻なる反省心は起こらないのである。しかしてその心底にあるものをもって満足することのできていく者には、いかなる場合にも情をよく整理して無分別の心の起こらないようにしていくことができるのである。それは仏教の信仰に限るのである。仏教を除いては、ほかに情を整理するに好い方法はあるまいと思う。

しかして仏教は一方面から見れば極めて高尚な複雑な学問であると同時に、またこれを片面から見ると極めて単純な宗教となってしまうのである。しかるに今日では社会から、仏教というものは宗教一片のもののように思われて、説教とか講話などの上で、南無阿弥陀仏とか南無妙法蓮華経とかいうようなことはただ信心という一つの上から成り立っていくのである。すなわち信ずるとは疑わぬということであるから、とにかく仏がかように仰せられた、祖師がかくのごとく言われたと言えば、それに絶対従って自己の安心を確立していくのである。

ところが翻ってさらにこれを学問の側から見ると、同じ仏教でも最初から信ぜよとは言わぬ、まず疑いを起こせと言うのである。大疑の下に大悟あり、小疑の下に小悟ありとも言って、大きな疑いを起こさなければ大きな悟りは開けないものとも言っている。その達磨《だるま》大師は、

直指人心《じきしにんしん》、見性成仏《けんしょうじょうぶつ》。

と仰せられた。平常われわれが思慮分別する心の本体こそ、それが取りも直さず仏である。その心とは何物であるぞと、まず大疑団を起こす。形は丸いか四角か、色は緑か赤か、人が叫べばおうと返事をする、呼べば応ずる底《そこ》これ何物ぞと疑ってみるに、色にも見えねば形にも現れぬ、それを仮に心とも名づけ、魂とも言ったのである。しからばその心とか、あるいは魂とかいうものは何処にあるか。頭にあるか足にあるか皮にあるか骨にあるか、もとより慮知分別する本体こそは仏であるが慮知分別そのものを言うのではない。

古人はこれを広い意味に取っている。すなわち山河 大地 虚空がことごとくこれ真心であると言って、実にこの心は宇宙の一切万象を網羅しているものである。

かくのごとく心の体《たい》を了知せよと言うのが禅宗である。また天台とか真言、日蓮というような宗旨も、その目的を達する方法は、おのおのの流儀によって違うのである。しかしながら宗教と

いう方面から言えば、真宗のごとく頼む一念によって往生ができるというが、それを学問として調べると、南無というは如何なる道理、弥陀とはどういう意味かもいちいち研究していくのである。要するに仏の目的は、世界の衆生をしてことごとく本位〔もといた場所。原位置〕に落ち着かせたいと言うよりほかにはないのである。

三世両重の因果

この世界は時間的にも空間的にも限りがない。しかしてこの限りのない時間空間において現れている一切の物柄事柄は、その現れてきた理由がなければならぬ。ただこれが自然に現れてきたとは言えないのである。

かの耶蘇《やそ》教〔キリスト教〕のようにエホバの神があってそれが造ったとは信じることはできない。たとえばここに一個の茶碗がある。この茶碗は一体どうしてできたか。できるには、できる前の時間があったに相違ない。その前の時はすでに過ぎ去った時間であるから、これを名づけて過去と言う。その過去という時間があったから茶碗ができたのである。しからば茶碗ができてこれを保つ間の時間、すなわちこの茶碗のためには現在である。さらに茶碗が壊れてしまった後の時間は、これまた限りがない、すなわち未来である。

さてまた茶碗というものができるには、できる理由があるであろうし、壊れるには壊れる理があるに相違ない。しからば前にできる理由があって、いま形となって現れている。過去より現在と二世にわたっているのであるから、これを二世一重の因果と言うのである。前にできるだけの理由があってできたものならば、それが壊れるという因縁があって壊れるのだから、過去 現在未来と三世にわたって、過去から現在に一重、現在から未来に一重となるので、この間を三世両重の因果というのである。

宇宙の法則と仏教

天地万物およそこの世の中にあるすべての形象は皆ことごとくこの三世因果の道理によって形造られもすれば、また壊れもするのである。

かくのごとくすべての物がみな因果の支配を受けているから、この三世因果の道理によって一切万物を判断していくのが仏法の学問の原則である。しかしながら、これは唯《ただ》に仏法にのみは限らないのである。今日世間にあるいかなる学問といえども、原因結果の道理は原則であって、これを昧《くら》ます〔かくす・ごまかす〕ことはできないのである。

すなわち原因となって結果にないことはなく、また結果あるものは必ず前に原因があるのである。これは天地宇宙の法則であって、人為をもって昧ますことのできないということは自明の事柄である。すなわち仏法が世間一般の学問を基礎として組み立てられているということを知るのである。現に帝国大学においては文科大学の中の哲学科で、印度哲学といって高尚幽玄なる仏法を研究しつつあるのである。

しかるに一方から見れば仏教は元より宗教であるから、無学文盲の爺さん婆さんでも、釈迦如来と同様の見識をもち、祖師方と同じほどの安心を得て未来永劫に安楽の境界《きょうがい》を得ることができるというのである。

われわれ人間五尺の体も、因縁順熟して現れてきた姿であって、そして各人各様、甲の気質を乙に移すことはできない。酒屋は酒屋、餅屋は餅屋、皆それぞれで繁昌するのは繁昌するだけの因縁があって繁昌をするのである。家一軒の上においてもその道理があれば、一国の上においてもその道理がなければならぬはずである。すなわち、いわゆる万国にその比類を見ない皇統連綿たるわが日本帝国の国体が成り立つには、その成り立つ因縁があって成り立つのである。英吉利《イギリス》は英吉利、亜米利加《アメリカ》は亜米利加、貧富 強弱 大小 是非、皆ことごとく因縁あって、今日の果報が現れているのである。そこでこの因果の道理が真実信ぜられたならば、いかなる大事件ができた〔生じた〕からとて、決して狼狽するというようなことはないはずである。ここにおいて同じ忠義孝行をするにも、仏法を信じた者の忠孝と、仏法を知らない者の忠孝とは大いに異なるところがあるのである。

かくのごとく一個人には一個人の三世因果があり、家には家の三世因果があり、国といえば国の上に三世因果がある。それゆえに仏教は人一人に用いれば一人の教えとなり、一家に用いれば一家の教えとなり、これを一国に用いれば一国の教えとなるのである。

さてこれを手許に引き戻してみれば、君臣 父子 夫婦 兄弟といっても皆、過去の因縁によって親子ともなれば夫婦ともなったもので、いわんや君へ忠義を尽くすといっても過去 現在 未来の三世にわたり、親に孝行を尽くすというもこの世限りではない。生々世々の君臣であり父子であるとしたならば、三世因果の道理を強く信じて、未来永劫安らかに生活のできるように心がけねばならぬのである。それについては仏教を信ずる者と信ぜぬ者とでは、同じ忠孝の誠を尽くす上に非常の相違があるのである。

呼べば応ずる底 何物ぞ

わが日本の忠臣と言えば、誰しもまず第一に楠木正成公を挙げるのに躊躇しないのであるが、その楠木正成・正季《まさすえ》兄弟は足利尊氏と戦って湊川において討ち死にをした。その臨終の一言に、

「七度《たび》人間に生まれて国賊を亡ぼさん」

と言ったのは名高い話である。もしやこれが、人間はこの世限りで焼けば灰になるか土になるかで跡には何も残るものではない、すなわち未来とか後生とかいうもののあるべきはずはない、という断見であったならば、かの支那四百余州において古来稀《まれ》なる忠臣といわれた諸葛孔明が、

「臣鞠躬尽力死後已」

命のあらん限りはご奉公をいたしますけれども、死んでしまえば仕方がありません、と言ったのと同じことになろう。同じ忠義ではあるが、これには死ぬまでという限りがある。しかるにかの正成公は、七度までも生き変わり死に変わって、君のため国のためにお仕え申しますと誓ったのである。

何ゆえに同じ忠臣と称せられた人でありながら、かくのごとく差別があるかと言うに、それは

言うまでもなく、正成公は三世因果の道理を篤く信ぜられた人であったから、決してこの世限りの忠義奉公ではない、生々世々にわたって忠義を尽くす、と言われたのである。かくのごとく仏法を信ずる人と信じない人とでは差別があるのである。

楠公《なんこう》は、両親がどうぞ好い子を得たいと言うので多聞天に祈誓をして生まれた子である。それで幼名を多聞丸《たもんまる》といった。あるとき多聞丸が余所へ行く途中で、禅宗坊さんと道伴になったが、幼くても賢い多聞丸のことであるから、うかうかと〔ぼんやりと〕してはおらない。そこで多聞丸が坊さんに問うた。

「人の心ほど不思議なものはありませんか、全体心とはどういうものでありますか承りたい」

するとその坊さんが、

「お前の名は何といわれるか」

と反問したので、

「ハイ多聞丸と申します」

と答えて、二三歩行きかけると突然に、

「多聞殿」

と呼びかけられたので、

「ハイ」

と答えると、

「これ何ぞ」

多聞殿と呼ばれてハイと答えたのは何が答えた、口が答えたか、歯が答えたか、喉が答えたか一体何物が答えたのである、心であるか、魂であるか、その答えたものを今ここへ出してみなさい。こう言われて楠公は大いに疑いを起こした。それからというものは種々と仏法の道理を深く研究されて、ついに立派な悟りを開かれたのである。

生死出離者の妙用

かの湊川において、明日はいよいよ討ち死にと覚悟を定め、今生のお暇乞いに、そのころ有名な仏日燄慧《ぶつにちえんね》禅師のもとに参って、開口一番に、

「生死交謝の時いかん」

生を謝して死と入れ替わる時、すなわち今死ぬるという時にはどういう心得をしていたなら

ば宜しうございましょうか、という問いである。これに対して禅師の答えは、

「両頭ともに裁断して一剣天に倚《よ》って寒し」

と言うのであった。生だの死だのというものは、みな切り捨ててしまえという命令である。生だの死だの苦だの楽だのというような両頭が目の前にブラついているようではいかん、生死苦楽の両頭を切り捨ててしまえば生也全機現、死也全機現ということになる。すなわち国のため君のために臣民たるの本分を全うする時には、生きるの死ぬのということが気にかかるようでは駄目である、味噌の味噌臭さは上味噌にあらず、かように両頭を切り払ってしまえば一剣天に倚って寒し、対待の邪魔者はガラリと晴れる――。しかし、その玄妙なるところ〔その言葉のふかい趣〕は何とも窺いがつかぬ、しかるに楠公《なんこう》は容《かたち》をあらためて、

「畢竟《ひっきょう》いかん」

いよいよの結局はどうでありますかと更に問うた時に、禅師はすでに一応の理屈が済んでいるから、今度は文字を離れ言句を絶し、威を震い体を振るって大喝一声、

「喝ッ」

とやった。この一喝にあって正成公は全身に汗を流したということである。すると禅師はこれ

をご覧になって、

「なんじ徹せり」

と言われて楠公の悟りを証明せられたので、楠公は、

「もし来たって和尚に見えずんば、いずくんぞ向上の関捩《かんれい》を超出することを得ん」

今日尊師のお教えを受けなかったならば、どうしてこの自由が得られようと言って、非常に喜んで禅師の許しを辞し去り、その翌日は尊氏の軍と接戦すること実に十五回、ついに弟の正季《まさすえ》および麾下《きか》〔部下〕の将卒を引き連れて無為庵に入り切腹して果てたのである。

また『国史眼《こくしがん》』こういうことが書いてある。

麁匆（麁暴ヲ言ウ）尾寵（無体ヲ言ウ）ヲ戒メ、卑怯未練ヲ耻メ、素倹質約ヲ主トシテ武力ヲ養イ、主従互ニ恩義ヲ重ンジ、然諾ヲ守リ、死生相結託ス（中略）、恩義ヲ推シ、廉耻ヲ守リ、名節ヲ相磨励シ、死ヲ視ルコト帰スルガ如ク、誓テ挫辱ヲ受ケズ、法刑イマダ加ワラザルニマズ自殺ス（中略）、特ニ主従ノ義ヲ重ンジ、片語モ上ヲ犯サズ主ノタメニ死ヲ致スヲ無上ノ栄トス。

以上は大体であるが、死を視ること帰するがごとく云々の思想はまさしく仏教の因果の思想

である。

死易生難と修養

かくのごとく仏教の原理は三世因果の道理から成り立っている。それが複雑になりては学問となり、単純なものとなりては宗教となるのであるが、その学問にせよ宗教にせよ、われわれお互い一個人の上に道徳となりて現れた時は果たしていかなる姿となるか。すなわち仏教の道理はいかにも高尚複雑なものであるけれども、これが社会の道徳と現れた時には、ただただ報恩の二字よりほかにはないこととなる。詳しく言えば、恩徳に報謝すると言うよりほかに仏法の道徳の標準はないのである。

同じ仏法の中でも、極めて単純なものは真宗と禅宗の二つであって、いわゆる自力の極端に走ったものが禅宗であり、また他力の極端に走ったものが真宗ということになる。しかるに真言などは自力でもなければ他力でもない、三力相応と言って、仏力と自力と法界力ということを言うのであるから、これらの宗旨はいたって舞台が広いに依って自由に動けるはずである。ところで真宗や禅宗のごときは全然それとは反対の地に立っているので、聖道門の極端と浄土門の極端ではあるけれども、結局は信心正因称名報恩と真宗に言うも、懺悔滅罪受戒入位発願利生行持報恩と禅宗にて言うも、ついに帰するところは同一の報恩に落ち着くのである。

ここに至って平生の行為ということが大切である。いったん緩急ある場合においては君のため国のために死は鵞毛よりも軽く一死報国の誠を尽くすべきは勿論であるが、平常においてはすべての行持が報恩となるやの心がけ、修養しなければならない。

すでに生死ということを閑却《かんきゃく》して〔うち捨てて〕事に当たるとなれば、ずいぶん立派な行が遂げられるが、それよりもさらに大切な注意すべきことがある。すなわち死易《しはやすく》生難《せいはかたし》ということである。

死㆓天下之事㆒易、成㆓天下之事㆒難と言えることもあり、生死は至って大也《だいなり》といえども、すでに身を委ねて臣たるの上は、事に臨んで死せんことは至って易くして、わが職を守って天下の大事を遂げんことはその成り難きところなり（中略）臣の職、ただ死を一途に究めるをもって、忠勤と思うべからざるなり、平生志を立て、おのれが職分を守り、君を善道に導き、国家の治教を休明し天下のたすけとなりなんことを思って、その法を詳に糾明し昼夜のつとめいささか怠るべからざるなり、死は人間の一大事にして、これをもって鵞毛のごとく軽んずるばかりの志ありながら、今日日用の忠勤に糾明すること、疎かにしてそのつとめ不レ正《ただしからず》ば、軽重本末を取りちがえて、難きことを易く思い、易きことを不レ勤《つとめず》して、今日の上に怠りあるなり、人臣としてもしここを玩索することうすきときは、大義において取りちがうることあるべきなり。

〔山鹿素行『臣職』より〕

げにや大事に〔ほんとにまあ大変な事態に〕臨んで、死を決するよりも、悠然として当面の事務を処理して、よく仏意にかない、宇宙の大精神に合致し、神色自若《しんしょくじじゃく》として微動だにもしないのが中々むずかしいのである。すなわち平気で死ぬよりも、平気で生きている方がいっそう難事である。

しからばその報恩というのはどういうことであるかと更に追究してみると、畏《かしこ》くも先帝明治天皇陛下は、皇訓の上に、

よく忠に、よく孝に、億兆心を一にして、世々その美をなせるは、これわが国体の精華にして、教育の淵源また実にここに存す。

と仰せられた。その君には忠、親には孝ということが、すなわち取りも直さずわれわれお互い

先祖代々千三百年来信奉し来たった仏教の根本思想たるところの報恩ということと合致する。このことが明らかに解ったならば、食うのも着るのも寝るのも起きるのも、また各人が各自の職業を守って、これに対して不平 不満 不真面目と言うがごとき不着実なる精神がなく、真に天与の業務に精励するということが、ただちに報恩主義に立てる報恩生活と言うことができるのである。

万世の皇帝が下人民に賜ったところのご勅語といい、また仏祖が衆生に示された教訓といい、皆この平常の行持において報恩の生活を作《さく》せということに帰着するのである。

ここにおいて真に学問のした甲斐もあるということになり、また宗教の極致にも達したと言うことができるのである。

国家と仏教

歴史思想と道徳の関係

歴史思想が道徳に対していかなる関係があるものか、あるいは国民の精神上にいかなる影響を及ぼすかと言うに、歴史的研究は道徳および信仰を害するものと言わなければならぬ。たとえば歴史家に言わしむれば、楠公《なんこう》父子の別れがどうの、児島高徳《たかのり》という人は果たして有りしやなどと、すべて疑ってかかる。ゆえにその結果は抹殺論〔明治初期の歴史学における主張のひとつ。厳密な歴史考証を重んじ、中世の武将・高徳の実在を否定したりした〕などが起こる。〔そういった歴史考証の俎上にのせられたのは次のような逸話である〕

禅学の起源は釈迦如来が霊鷲山において八万四千の宗徒を集め、獅子庵に登られて一言の説法もなされず、ただ金波羅華《こんぱらげ》を拈《ねん》ぜられた時に、多数の声聞縁覚《しょうもんえんがく》〔声聞・縁覚いずれも小乗の修行者〕は聾《つんぼ》のごとく唖《おし》のごとくであったが、迦葉《かしょう》尊者のみがその中にあって破顔微笑された。ところで〔そうすると〕釈迦如来はわれわれ正法眼蔵涅槃妙心あり摩訶迦葉に付すと言って仏心仰を伝えられた――。

また、達磨《だるま》大師が印度から支那に渡り梁の武帝と問答のあった後、少林寺において面壁九年〔達磨が九年間、壁に向かって座禅をくみ、悟りを開いたことを指す〕をなされたところ、輪光《りんこう》という求道の熱心家が大雪の降る中をも厭わずして雪中に立って道を問うた。しかるに達磨は一言もご発しなさらず、ついに一昼夜門外に立って夜を明かさした末、達磨は初めて口をお開きになり、「なんじは何のために来るや」と言うと「安心を得んがためなり」とて、そこで問答があり、臂《ひじ》を切って誠を示し仰可を得て師事した――。

これらのことについて、歴史研究者は種々の議論を言っている。また日蓮上人の龍の口の法難や、法然、親鸞の伝、その他聖徳太子や釈迦の伝記歴史を研究すれば宗教の信仰や道徳を破壊するものといえる。しかるにまた一面より見れば、一方には危険思想を助長するものであるとの非難ある歴史的研究は、他方においては宗教および道徳の思想を喚起するものである。

たとえば人間の道徳は、孝は百行のもとという。百行のもとという観念が何より生ずるか。われわれは自分の歴史を忘れてはならぬ。自分の歴史を知っていれば、父母その他に対して報恩の念を知ることとなる。自分の歴史を知ることが道徳の始まりとなる。自分の歴史を知ることが父母および遂に祖先の歴史を知るに至れば、自分の祖先がいかなる勲功や苦労をなされたかを了解することができるのである。

しかるに祖先伝来の財産をなくするは、沢山の財産は自分自身の財産と思い、力を労せずして受け取った財産はありがたいとも何とも思っておらぬ結果である。祖先の歴史、自分の家の歴史を知れば決して祖先に不幸の真似はできるものではない。祖先を粗末にしたり、人道に反することをしでかすなどというに至るはずはないのである。

そして同様に、国民道徳の基礎は国民が国家の歴史を悉知《しっち》する〔ことごとく知る〕より起こるのである。

宗教的信仰と歴史思想

日本臣民が国家の歴史を知らぬとしたならば、果たしていかなる結果となるや。かの戦国時代、南北朝時代には恐らくわが国民は国家の歴史を知らなかったものだと私は思うのである。国民が国家の歴史を念頭に置かざるの結果、朝廷の式微《しきび》〔はなはだしい衰え〕となったのである。しかるにある一部の人士が国家の歴史を国民に知らせた。それが動機となって王政維新となったのである。

水戸光圀公は幕府の親近の人でありながら、天下の多くの学者を集めて「大義名分」を明らかにして国史の編纂を作《さく》された。その功労というものはすこぶる広大なりと言うべきである。徳川家より光圀公が出たゆえ、頼山陽《らいさんよう》が出てきて『日本外史』の著述となり、中流の人士は初めて国家の歴史を知った。それが王政維新となって現れたのである。ゆえに国民の宗教および道徳を喚起する力のあることは明らかである。

明治天皇のご勅語を按ずるに、やはり国民に国家の歴史を知らしめたものと拝察する。すなわち第一に、

「朕思うに……世々その美をなせる教育の淵源また実にここに存す」は国家の起源より国家の歴史を示し給《たま》うた〔お示しになった〕もので、

「なんじ臣民父母に孝に……なんじ祖先の遺風を顕彰するに足らん」は国民の格守すべき道徳を明らかにし、

「この道……」以下はみな国家と歴史と国民道徳の帰趣《きしゅ》〔行き着くところ〕とを服膺《ふくよう》すべき〔心にとどめるべき〕ことを下し給うた大勅である。

すなわち日本特有の歴史と国民道徳を守って忘れてはならぬ意味と拝察いたす。宗教もやはりその信仰、歴史を離れては没交渉〔無関係〕のものとなる。基督《キリスト》が十字架に懸かって多くの人の犠牲となり、ついに昇天されたという、その歴史あるがゆえに基督の信者はありがたいと言う。仏教では釈尊や高僧や開山の歴史を知ってはじめて信念を強める。すなわち歴史が基礎となるのである。

歴史的研究は一面無味乾燥、蠟《ろう》を咬むがごときものであるけれども、翻って考えれば、国民道徳や宗教の信仰に至るまで、これに依らなければならぬゆえに最も大切なものである。そこで私は、第一にわが国の最善の宝は何であるか、第二には仏教が日本においての歴史について、お話ししようと思う。

国家的最善の宝とは何ぞ

われわれお互いが国において何を最善の宝とするやと言うと、わが国は国法として国家が保護しているものも沢山ある。すなわち建築物、書画等立派なものもあるが、果たしてそれらが万国無比と称することができるや否や。外国にも建築書画等はずいぶん立派なものが沢山あるゆえ、これは万国無比と言うことはできぬ。しからば日本特有の国の宝は何であるか。

むかし伝教《でんぎょう》大師〔最澄〕が嵯峨天皇に建白して、国法とはいわゆる道心なりと言われた。道心とは前篇においても種々説き来たったごとく、自己を他のために捨てる犠牲主義 慈悲主義のことで、国家社会のために一身を捨てることである。道心をもって鎮護国家の精神に基づき叡山を開いて祈願所とすることを申し出たのである。また老子は、

諸侯に三宝あり、すなわち土地、人民、政治これなり。財宝私欲等を宝とする者は災い身におよぶ。


というような意味のことを言ってある。

第一の土地とは、国家を成立するには土地領土というものは宝に違いない。

第二に人民とは、いかに広漠たる土地があってもこれを開拓し農工商を営むべくこれを利用する人がなければ駄目である。

第三の政治とは、土地人民を統一して主権をもって統轄する機関たる政治がなければ国家は成り立っていかぬのである。

次に金銭を財宝すると言って、金銭は戦争するにも宗教の振興を図るにも教育の発達を完全

するにももちろん必要なものである。なお互いは衣食住とて、生活する日用の要素は一として人工が加わらずしてできているものはない。みな多少なり人の力が加わってできている以上は、それに対して売買等のことが行われて協同して社会を持《じ》すこととなるゆえ、なるほど金銭は大切に相違ないが、金銭を最上の宝と思うときは骨肉〔血縁関係にある者〕も金銭のためには敵となり、守銭奴となって多くの人に排斥せられ、金銭のために不道徳のことを行うに至るのである。これ畢竟《ひっきょう》、金銭より尊い宝のあるを知らぬからである。

金銭のために堕落し、また災いを受くるの例はたくさんある。支那の太公望は『六韜三略《りくとうさんりゃく》』という兵書の中に三宝を説いてある。兵書であるから兵隊とか軍器とか軍略とかいうものを宝とすべきであるが、大農、大工、大商これを三宝と言う。すなわち農業を盛大ならしめ、商工業を発達せしむることが三宝であると言っている。それが富国強兵ということになる。

しかして、わが大日本帝国は万国が真似ることのできぬ最善の宝ありとすれば、わが国民はこの宝のいかなるものなるかを知ると同時に、これを失わぬように保持する心がけをせねばならぬ。

しからば万国無比の宝とは何か。第一に政治より言えば皇統である。ご承知の通り、わが国の皇統は万世一系で連綿として今上陛下に及んでいる。万国はいかにするも真似は決してできぬこの宝は永久に保持せねばならぬ。しかし国は政治のみにては到底完全なる統轄することはできぬ。形の上ではなるほど政治のみで国家は治まっていくように思われるが、実際は宗教の力を借りなければ充分なる政治は行われるものでない。

支那では三就一宗の難〔三武一宗《さんぶいっそう》の法難〕と言って、排仏の皇帝が出て仏像経巻を焼く等の暴挙をした。しかし天子はその後一年もしくは二年、永くも五年を出《い》でずして、みな世を去っている。しかるにわが日本では排仏等のことはなかった。ただ明治維新の際、物質文明にとらわれて宗教無用論等の幾分排仏毀釈的の気分が見えたが、今は宗教は捨てるわけにはいかぬという傾向になっている。

宗教は消極的には必要ないとしても積極的には必要である。わが国は、政治においては皇統は宝であるは論を俟《ま》たない〔言うまでもない〕が、宗教上の宝は何であるか。すなわち仏教である。世界の二大宗教はと言えば仏教に基督《キリスト》教であることは何びとも承知しているが、仏教は日本特種の仏教としてわが国のものとなっているのである。

たとえば一家の内で言ってみれば、お祖母様はもちろんその家の家族の一人であることは何びとも首肯〔肯定〕する。仮令《けりょう》むかしは嫁さんとしてその家に来て〔たとえむかしは嫁としてその家に来たのだとしても、以後は〕一家の主婦として働き、ついに孫ができてお祖母様となったのである。そのお祖母様を他人であると言う者は一人もないと同様に、仏教も印度より三韓〔古代南朝鮮の称〕、三韓より日本に渡ったにもせよ、日本特有の仏教と言うことができるのである。

道徳から言えば敵討ちである。敵討ちの行為は野蛮であるにもせよ、その志が日本の思想を表現したものと言ってよい。熱烈なる忠孝の至情の至りが敵討ちとなって現れたのである。現今、敵討ちというようなことは禁制となったが、むかしは曽我兄弟が天下の覇者たる工藤祐経《すけつね》に対して復讐した壮挙や、あるいは赤穂義士のごときその苦心惨憺はなかなか大抵のことでなかったことと思う。

陽気発するところ金石また透《とお》る、精神一到何事か成らざらん、これ忠孝の道から出たところの誠心である。

仏教の国民道徳に及ぼしたる影響

次に仏教のわが国民道徳に及ぼした影響はどうかと言うに、日本に仏教が公然伝来したのは欽明天皇の十三年、百済《くだら》王が仏書を献じたに始まるのであるが、それが伝来と同時に広まったのではなく、暫時蘇我稲目《しばらく》が預かっていた。

わが日本においては、皇室宗教は国民の宗教と言うがごとく、国民と皇室とは離れることができず、皇室の信仰なされるところが国民全般に及ぶことである。

しかして仏教が伝来してから正式に朝廷において儀式として顕れたのは推古天皇の六年であるが、推古朝の時世と明治時代とは多少似通ったところがあると思う。明治二十二年の憲法発布式は空前の大典であったが、その端緒は五箇条の御誓文である。この御誓文に依って来る端緒〔この御誓文が示されるに至ったきっかけ〕は嘉永六年、米艦が浦賀に来たのに起因するのである。

天皇様のご精神は憲法発布、ここではじめて現れた。これを推古朝に見るに、即位後六年、はじめて聖徳太子のご講経〔経典解説の講義〕のお儀式が宮中に挙げさせられた。ある人は十四年に太子のご講経と言うけれども六年の方が理に合うようである。

推古天皇がご即位の翌年、三宝興隆のご詔書〔仏法興隆の詔〕が発布された。これが講経の大典の端緒で、その起因は欽明帝十三年仏教伝来である。しかして十二年〔推古十二年〕には憲法

〔憲法十七条〕を創定されたのである。推古朝〔において〕は日本文明史の序幕となって大化の改新となり、〔近代においては〕明治元年、欧米大陸文明輸入の関門となり、ついに五箇条の御誓文により広く世界に智識を求めるということになったのである。推古朝の時にも国民の思想は動揺した。しかして百済から、

「わが国には仏教という結構な教えがあるが、国を安らかに治め、民の福利を増進させ、人心を柔らげるのであって、西城〔「西域」が正字か〕諸国みな信奉せざる国はあらず」

という書面を寄こした。そこで推古帝は、朕はその微妙の法を知らず、これをいかにしたらよかろう、と大官に諮《かた》るに至ったので、ついに信ずべきものと主張する蘇我氏とその反対論者たる物部氏 中臣氏らの両派に分かれたが、ついに蘇我氏の勝ちに帰した。

仏教は印度から中央亜細亜から、陸路で長安 洛陽に行き、日本に渡ったのは一部は三韓から、一部は支那の南部から直接に日本に来たのである。しかして三宝興隆のご詔書は公然、大陸の文明をご採用になったことになるのである。聖徳太子は維新前、徳川時代には宗教家のごとく見られ、批評されてご価値が下がったごとく思われたが、太子の偉大なるご人物は大史《だいし》〔大史とは、律令制で神祇官・太政官の一部をなす官職。ただしここでは「大局的にみた歴史」の意か〕を研

究すればするほど明暁《みょうぎょう》〔日が明けること〕になってきた。

それでわが国の仏教は最初誰が興したかと言うに、僧侶でも国民でもない、皇室が主となり、国家が主となって興したのである。また聖徳太子のご講経のお儀式も今日考える普通の講経とは雲泥の相違で、大いに趣を異にしているのである。すなわち政治および国民道徳のよるところをお示しになったのである。

吾人の大願

小智と不徹底

われわれが世に処していく上においては、何びとも大願ということがなくてはならない。すなわち願いは、熱烈なる希望である、志である。すなわち志を立てることが誓願である。われわれには大きな誓願もあれば小さな誓願もある。しかるにこの誓願が弱いと他人の圧迫や他人の妨害などのために自分の誓願が破られることがあるのである。

しかるにわれわれは事に処して、「しかるべく〔適当に・いいように〕」というような無責任な不徹底な言葉によって誓願もならず、また「けれども」なぞという言葉によって誓願も破られることが往々あるのである。わが日本人は少し融通の利くところから少日月の間に西洋文明を輸入して非常な発達をしてきた。しかし猿の人真似式では表面だけ美麗であっても内心においては却って堕落しているところがあることを忘れてはならない。

仏事はすべて大成〔完全に成しとげる〕ということが肝要であるが、日本人は融通が利くというところから、熱心ということを欠き、ただ一時を糊塗して人の眼をくらまさんとするような傾向は国民一般の悪弊と言わなければならない。これ「しかるべく」という不徹底な行為となるゆえんである。

またわれわれの心は迷いのために引かれて、これを絶つということは困難なるものである。例《れい》せば勉強もしたいが朝寝もしたい、金は欲しいが働くのは嫌だ、腹を立つということは悪いことだ、けれども口惜しくてたまらない、とかいうようなことは始終でることである。この、そうであるけれども……ということは若い時ばかりではなく老年になってもなかなか取れないものである。

古来偉人の誓願

しかして、そのしかるべくとかけれどもというのは何であるかと言うに、これは煩悩妄想というものである。確実なる誓願を立てても、この煩悩の迷いのために覆《おお》われるのである。煩悩の犬は追えども去らず、菩提の鹿は招けど来たらずで、なかなかこの煩悩は去りがたいものである。からして、せっかくに誓願を起こしてもこの煩悩のために覆いかくされて、ついにはその働きしないようになるのである。ゆえに真に仏教を信ずる人は、決して腹を立てまいと一つ固く誓願して日常の行いをしていかなければならない。

しかれば自然と習慣になって、末にはついに腹も立てない、極めてやさしい人となることができるのである。この誓願ということはなかなか立て難く、また実行ということが困難である。からして初めから大なる誓願を立てようと思っても比較的にその功は少ないから、初めのうちはごく小さな誓願を起こして、その誓願によって、一生懸命に努力して順を追って進んでいただきたいと思うのである。

しかして何びとも必ず誓願を立てなければならないのは勿論である。まず諸仏の広大無辺の大願について話してみよう。その大願に四つある。すなわち、

一には、衆生《しゅじょう》無辺《むへん》誓願《せいがん》度《ど》

二には、煩悩《ぼんのう》無尽《むじん》誓願《せいがん》断《だん》

三には、法門《ほうもん》無量《むりょう》誓願《せいがん》学《がく》

四には、仏道《ぶつどう》無上《むじょう》誓願《せいがん》成《じょう》

この四大誓願〔四弘《しぐ》誓願〕は諸仏の寿命である。世の中の親がわが子を育つのに、身を忘れ、

苦しみも忘れて、わが子のためをのみ思って自分の考えも忘れ、身の姿も忘れて、子供を愛し養うのが、これが親の大願である。すなわちこれが親の生命である。それと同じことで、諸仏のこの四大誓願は諸仏の菩薩の生命とするところである。

慈悲の親と迷の子

一　衆生無辺誓願度《しゅじょうむへんせいがんど》。経文に、

今この三界はわが有《ゆう》なり。その中の衆生はことごとくこれ、わが子なり。ここは諸の剣難多し。ただわれ一人よく救護をなす。

この世の中に生存している動物のその数は幾百千万なることを知らざるありさまである。鳥の数、魚の数、畜類の数、これを計算してみると三十三億という実に無限数であるということである。その万物の霊長たる人間より下等動物に至る無数の生物を皆ことごとく諸仏菩薩はわが子供であると言う広大なる慈悲の大誓願である。

二　煩悩無尽誓願断《ぼんのうむじんせいがんだん》。経文に、

煩悩の毒蛇眠って、なんじが心にあり。

一切衆生の煩悩は実に無尽蔵であって、この煩悩のために解脱の光明も認めること能《あた》わずして〔認めることができなくて〕生死の苦中に沈淪しているのである。その根強い煩悩を断滅して、そのまま仏果を得せしめ心地安楽の境界《きょうがい》に至らしめてやろうという大誓願である。

しかして、この煩悩ということを分析してみると五つになるのである。すなわち、貪《とん》、瞋《じん》、痴、慢、疑である。

まず貪。人間は実にこの貪《むさぼ》るという欲心は深く、その欲心を満足さすがためには、いかなる不道徳、不義理、犠牲を払ってもこれを求めようと盲進するのである。そして子を忘れ、親を忘れ、家も国家も、ついには自分の本心をも忘れて、人の人らしきところを失うに至るのである。古歌に、

十悪を ならべておいて 眺むれば
貪欲どのの せいの高さよ

と言われている。古し物事を忘れやすい粗忽者があって、引っ越しをする時にすべての財産は持って行ったが、末の末までと誓った妻を忘れて行ったということである。それらは粗忽者ではあるが、なおは〔さらなる〕粗忽者がある。酒色に耽って自分の身分を忘れ、本心を喪失してい

る者がある。

かの監獄へ行ってみると全国いずれの監獄でも寂しくて困っているという時はない。いつも満員の大盛況である。これらは皆、国家を忘れ、家を忘れ、親を忘れ、妻や子を忘れ、甚だしきはおのれが心を忘れた不忠不孝の徒輩である。まことに慨嘆の至りと言わなければならない。瞋恚《しんい》。瞋《おこ》り腹立つ煩悩である。実にこの瞋恚の害たるや甚だしいもので、人生にこの瞋恚ということがなかったならば、まことに社会は平和に保っていけるのである。古歌に、

何事も 横倒しまは 悪しけれど
　この字ばかりは 立ててならぬぞ

とあるように、腹だけは横にしておかなければならない。

それについて良い例がある。旧米沢の藩主上杉鷹山《ようざん》公が、実家である秋月家から母人が急病であると使いを受けて、さっそく桜田のお屋敷から麻布の秋月邸まで急行した。ちょうどその晩は風雨が烈しかった夜であった。それで上杉公は二三の友を連れて駕籠《かご》で行かれたのであるが、何ぶん火急のことではあり、風雨の夜道であるから、ついに三軒やの坂道で前の六尺〔駕籠を担ぐ人足〕が滑って駕籠を投げ出してしまった。その晩はそれでとにかく母御《ははご》〔母上〕のお見舞いが

すんだことであったが、翌朝になると、六尺をはじめお供の者には重罪処分がもちあがり、そのうえ家老職の者まで進退伺い書をしたためて、そして家老が恐る恐るこれを上杉公の御前〔座の前〕へ持って出た。すると上杉公は家老がいまだ何とも言わない前に、

「昨夜は駕籠の者がつまずいたようであったが怪我はなかったか」

とのお尋ね、これでは別にお咎めがあろうはずがない。そこで家老は、

「ありがとうございます、みな無事でございます」

とお礼を申し上げて引き下がった。少なくても蟄居閉門ぐらいの罰は当然であろうと思っていたのに、公の寛仁なるのを聞いた供回りの武士や六尺は今さらながら公の仁慈〔思いやりがあって情けぶかいこと〕に対して感泣したということである。そして一生涯、米沢の城に伺って礼拝したということである。

これらは堪忍ということを守った徳であると言わなければならぬ。古歌に、

腹立ちて　胸の火焔が　燃えるなら
　心の水を　せきとめて消せ

まことに好訓戒である。

愚痴。これは物の道理に暗いところから起こるのである。そして瞋恚の心さえ起こらなければ自然と愚痴ということも消滅するのである。

慢。これは世の中が広く分からないからして、おのれの心が増長し憍《おご》って、人を慢《あなど》るのである。

疑。これは疑惑である。自分の心を疑い、他人の心を疑い、疑い疑った結果、ついには罪を犯すようなことになるのである。

以上を五欲と言うのである。世間の人はこの五欲のために苦しめられて煩悶しているのである。その苦悩煩悶を救ってやりたいという諸仏菩薩の大願である。

通願と別願

三　法門《ほうもん》無量《むりょう》誓願学《せいがんがく》。法門〔仏法・仏の教え〕もこれを開いてみれば八万四千となるが、その八万四千の法門も、一切衆生は八万四千の煩悩があるためである。すなわち煩悩の数に順《したが》って、それを退治する法門があるのである。そして一々の煩悩を断じて一々の法門を得せしめようとするのがまた、これ諸仏の大願である。

四　仏道《ぶつどう》無上《むじょう》誓願成《せいがんじょう》。一切衆生をして煩悩の雲を払い尽くさしめ、究極の仏道を成就せしめ、生死去来に預からざるところの涅槃の妙楽に至らしめ、自他ともに仏果を成就し、円満なる境界《きょうがい》に至らしめようとする諸仏の大願である。

この四弘《しぐ》誓願は諸仏菩薩の通願であって、ほかに別願というものがある。すなわち、

阿弥陀如来——十八大願

薬師如来——十二大願

観音菩薩——十大願

地蔵菩薩——十二大願

普賢菩薩——十大願

しかして、これら通願も別願も畢竟《ひっきょう》するところは大慈悲心で、その大慈悲心から流れたところの広大なる大誓願である。

未来に対する吾人の要求

以上は諸仏菩薩の誓願のことについて述べたのであるが、今度はわれわれの誓願について述べてみようと思う。

それについてまず願生《がんしょう》、通生《つうしょう》、化生《けしょう》、業 生《ぎょうしょう》の四生を先に説明せんに。

願生とはいかなることかと言うに、自分が前生において今度も必ず人間と生まれて何をなさんものとの願いを起こして今生に人間と生まれたのを言うのである。かの正成〔楠木正成〕が尊氏〔足利尊氏〕と戦って敗北した際のこと。弟の正季《まさすえ》とともに農家に入ってまさに切腹しようとした時に正季に向かって言うよう、この身は夢幻泡影《むげんほうよう》、稲妻のごとく露のごとくはかないものである、と。いったい死んでからはどうする考えかと尋ねると、正季は、七度《たび》人間と生まれ来たって君〔君主・天皇〕に忠を尽くす、と誓願せられた。正成もこれを聞いて大いに喜び、生き変わり死に変わり国賊を亡ぼす、と誓願せられた。後《のち》は必ず人と生まれ変わって忠を尽くされたことと思う。また吉田松陰が乱世をこう詠んだ。

身はたとひ 武蔵の野辺に 朽ちぬとも
　留め置かまし 大和魂

『修証義《しゅしょうぎ》』という曹洞宗の経文の中で、

願生此《し》娑婆国土し来たれり、見《けん》釈迦牟尼仏《むにぶつ》を喜ばざらんや〔願いがかない生まれてきたこの娑婆、煩悩の多い世界で、釈尊にお会いできたのはこの上ない喜びである〕。

と言ってあるのは、このことである。われわれは受け難い人身を受け、また一天万乗《いってんばんじょう》〔世を治める天子〕の君を戴く日本に生まれ来た以上は、必ずこの誓願を起こさなければならぬ。

通生というのは神通力によって生まれて来たのである。観音菩薩等は両親があって生まれて来たものではない。神通力によって生まれて来たのである。これを通生と言うのである。

化生とは変化して生まれて来たものを言ったのである。これもまた沢山ある。

業生。これは六道の衆生を言うのである。すなわち前世の業因に引かされて、今世に生を受けたのである。

すべてこの世に生まれて来たものは、みな業力によって苦楽の身を受けて来たのである。人間はみな生まれた時には喜びの中に生まれたのである。しかして死ぬる時にはみな泣き悲しむのである。悲しみの中に人生の幕は下りるのである。これは普通であるが、悪人となるとそうではない。悪人が死ぬと世間の人は安心する。人は惜しまれて死ぬようにならなければならない。かくのごとく苦楽悲喜の人生。これみな前生の業力によるところであるから、これを業生と言うのである。

さて以上、四生中においてわれわれの選ぶべきはもちろん願生でなければならぬ。そしてわれわれわれは、未来永劫に向かってこの誓願によって生きて行くということに心がけなければならない。

次にこの願をなお手近くに持って来て、われわれが日常生活していく上において心がけていく願について説明しよう。

日々の大願

日々の心得とすべき大願は五カ条ある。

一　今日一日は尊客たることを忘れざる大願

二　今日一日はみだりに人の悪を言わざるの大願

三　今日一日は衣食住の好悪を思わざるの大願

四　今日一日は荒々しき言葉を使わざるの大願

五　今日一日は腹を立てざるの大願

以上の五カ条である。すべて事というものは、言うことは易いが実行となると却って難いものである。とにかくその日、朝起きる時この五願を念じて破るまじきことを誓願し、一日を全うし、

なお永久に持続し実行していくことに心がけねばならぬ。古歌に、

永くとは 言わぬ聖の 教え艸《くさ》
今日も一日 明日も一日

というのがある。何とぞ一日、またさらに一日と平和の処世をしたいものである。

いま五カ条を簡略に説明すれば、

一 われわれがこの世に生を受けて来たのは客に来たようなものである、という念に住《じゅう》して不足の考えを起こさないと誓うのである。古歌に、

父母に 呼ばれて仮に 客に来て
心残さず 帰る故郷

この心を持っていれば、さらに不足不満の念を懐くことなく、日々を幸福に暮らすことができるのである。よしんば不孝に出遇《あ》っても、これは前世の業因である、まさにこれによって消滅することを得るとあきらめ、幸福に遇えば、なお進んで報恩の心が起きて日々これ好日と受けとめる。雨が降り風がふく春夏秋冬、一日として好日ならざる日はないという幸福に住することを得るのである。

二　悪口《あっこう》、両舌《りょうぜつ》、綺語《きご》、妄語等の不謹慎なる行動によって喧嘩、口論等の争いを起こして、ついに修羅道を現すようなことがある。古語にも、

口はこれ禍《わざわい》の門、舌はこれ禍の根。

と示されてある。完全なる人格向上においては他の長短を論ずるということは不可である。

三　ことに現代の人は一般に虚栄心が強くなってきた。人はみな身分相応ということがある。人の美服を見ておのれもこれを着んと欲し、人の美しき家屋を見てはおのれもかくのごとき所に住まわんと欲し、美食を常に食せんと欲し、もし資力なくて得ることができなければ、これ盗んでも得ようと思ってついには罪悪をまでも犯して、あたら〔せっかくの〕一生を闇に葬ってしまうような悲境に陥る者がたくさんある。実に謹むべきは虚栄である。古歌に、

破れたる　着物をきても　足ることを
　知ればつづれも　錦なりけり

足ることを　知る心こそ　福の神
　布袋の顔は　いつもにこにこ

かくのごとき境界《きょうがい》になりたきものである。そのような崇高なるところの境界になって、各自の

天職に向かって努力すれば、偉大なる成功を納めることは必然である。

四　心に腹を立てず荒々しき言葉を使わず、柔和忍辱《にゅうわにんにく》〔おだやかな心で迫害にも耐え忍ぶこと〕であれば、自然と身体の様子も柔和となって、人を感化する力は実に非常な〔はなはだしい〕ものである。曹洞宗の『修証義《しゅしょうぎ》』の中に、

愛語というは衆生を見るに慈愛の心を発し、顧愛の言語を施すなり。慈念衆生猶如《ゆうにょ》赤子《しゃくし》の思いを貯えて言語するは愛語なり。徳あるは褒むべし、徳なきは憐れむべし。怨敵を降伏し、君子を和睦ならしむること、愛語を根本とするなり。面《む》かいて〔面とむかって〕愛語を聞くは面《めん》を喜ばしめ心を楽しくす。面かわずして〔人づてに〕愛語を聞くは胆に銘じ魂に銘ず〔深くきざまれる〕。愛語よく回天の力〔世界を一変させる力〕あることを学すべきなり。

人を愛するということは、すなわち自らを愛するということである。これによって身口意を清浄となすことができるのである。

五　腹を立てるということは前述の通り人生の一大弱点である。経文中に、

瞋恚《しんい》の害は諸の善法を破り、好名聞《こうみょうもん》〔よい評判〕を壊す。今世後世、人見んことを願わず。

とある。また、

堪忍の なる堪忍は 誰もする

　　　ならぬ堪忍 するが堪忍

というのは名高い古歌である。よくよく注意が肝要である。

日本の臣民たる者は上下を通じて上来述べ来たった大願を起こして世渡りをしていかなければならない。これによって五倫五常、五戒十善等の諸々の徳目を完全に行うことができ、今世後世の大安楽を得るということは少しも疑念をはさむところはないのである。

著者略歴

大内 青巒（おおうち せいらん）

1845年5月22日―1918年12月16日逝去。74歳

明治期から大正期にかけて仏教学者・思想家。仙台市出身

1875年（明治8年）新聞『明教新報』を発刊し仏教における啓蒙思想家として活動した。1914年（大正3年）東洋大学の学長に就任。

新修 自ら救う力

2020年10月19日 初刷発行

定価――本体1、800円＋税

著者――大内青巒

編者――井上林太郎

発行者――斎藤勝己

発行所――株式会社東洋書院
〒160-0003
東京都新宿区四谷本塩町15-8-8F
電話 03-3353-7579
FAX 03-3358-7458
http://www.toyoshoin.com

印刷所――シナノ印刷株式会社

製本所――株式会社難波製本

ISBN978-4-88594-540-3